키즈 수학 전문가가 만든 **연산 교재**

원리셈

7까지의 모으기와 가르기

지은이의 말

수학은 원리로부터

수학은 구체물의 관계를 숫자와 기호의 약속으로 나타내는 추상적인 학문입니다. 이 점이 아이들이 수학을 어려워하는 가장 큰 이유입니다. 이러한 수학은 제대로 된 이해를 동반할 때 비로소 힘을 발휘할 수 있습니다. 수학은 어느 단계에서나 원리가 가장 중요합니다.

수학 교육의 변화

답을 내는 방법만 알아도 되는 수학 교육의 시대는 지나고 있습니다. 연산도 한 가지 방법만 반복 연습하기 보다 다양한 풀이 방법이 중요합니다. 교과서는 왜 그렇게 해야 하는지 가르쳐 주고 다양한 방법을 생각하도록 하지만, 학생들은 단순하게 반복되는 연습에 원리는 잊어버리고 기계적으로 답을 내다보니 응용된 내용의 이해가 부족합니다.

연산 학습은 꾸준히

유초등 학습 단계에 따라 4권~6권의 구성으로 매일 10분씩 꾸준히 공부할 수 있습니다. 원리와 다양한 방법의 학습은 그림과 함께 재미있게, 연습은 다양하게 진행하되 마무리는 집중하여 진행하도록 했습니다. 부담 없는 하루 학습량으로 꾸준히 공부하다 보면 어느새 연산 실력이 부쩍 늘어난 것을 알 수 있습니다.

개정판 원리셈은

동영상 강의 확대/초등 고학년 원리 학습 과정 강화 등으로 원리와 개념, 계산 방법을 더 쉽게 이해할 수 있도록 하고, 연습을 강화하여 학습의 완성도를 더했습니다.

학부모님들의 연산 학습에 대한 고민이 원리셈으로 해결되었으면 하는 바람입니다.

지은이 *천종현*

원리쌤의 특징

☑ 원리쌤의 학습 구성

한 권의 책은 매일 10분 / 매주 5일 / 6주 학습

☑ 원리쌤의 시나브로 강해지는 학습 알고리즘

키즈 원리쌤은

시작은 원리의 이해로부터, 마무리는 충분한 연습과 성취도 확인까지

☑ 체계적인 학습 구성

쉽게 이해하고 스스로 공부!
실수가 많은 부분은 별도로 확인하고 연습!
주제에 따라 실전을 위한 확장적 사고가 필요한 내용까지!
원리로 시작되는 단계별 학습으로 곱셈구구마저 저절로 외워진다고 느끼도록!

원리셈 전체 단계

 키즈 원리셈

 초등 원리셈

키즈 원리셈의 단계별 학습 목표

초등학교 입학 준비는 키즈 원리셈으로!!

키즈 원리셈 단계를 고를 때는 아이의 배경지식에 따라 아래의 학습 목표를 참고하세요.

◉ 5·6세 단계

수와 연산을 처음 접하는 아이들을 위한 단계
수를 익히고, 덧셈, 뺄셈을 이해
덧셈, 뺄셈 기호는 나오지 않지만, 덧셈, 뺄셈의 상황을 그림으로 제시
필기를 최소화 / 붙임 딱지 이용
매주 마지막 5일차에는 재미있게 사고력 키우기 "사고력 팡팡 "

◉ 6·7세 단계

10까지의 수를 알지만 덧셈, 뺄셈을 처음 하는 아이들을 위한 단계
1에서 20까지의 수를 익히면서 더하기 빼기 1, 2, 3
수를 똑바로 세면 덧셈, 거꾸로 세면 뺄셈이라는 것을 이해하고 연산에 이용
수 세기를 먼저 배운 후, 같은 개념을 덧셈, 뺄셈에 적용
10이 넘어가는 덧셈도 받아올림을 하는 것이 아니라 수의 순서로 이해

◉ 7·8세 단계

한 자리 덧셈, 뺄셈의 개념은 있지만 연습이 필요한 아이들을 위한 단계
초등 1학년 1학기 교과에 해당하는 내용
가르기와 모으기를 충분하게 연습하면서 속도와 정확성을 올릴 수 있는 단계
1권~4권은 가르기와 모으기를 연습한 후 덧셈, 뺄셈의 개념으로 확장하여 연습
5권은 받아올림, 6권은 받아내림의 원리를 아주 쉽게 풀어놓아서 받아올림과 받아내림을 처음 배우는 아이들에게 강추!!

7·8세 단계 구성과 특징

1~4권은 가르기 모으기를 기본으로 받아올림, 받아내림 없는 한 자리 덧셈, 뺄셈을 연습하고, 5, 6권에서 각각 받아올림, 받아내림이 있는 한 자리 덧셈, 뺄셈의 원리를 배웁니다. 초등 입학을 준비할 수 있는 교재로 교과서 로는 초등 1학년 1학기 내용을 주로 담고 있습니다.

원리

구체물을 그림으로 보고, 동그라미를 그리는 등 원리를 직관적으로 이해하고 쉽게 공부할 수 있도록 하였 습니다.

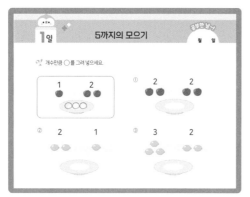

연습

학습 순서는 원리를 생각하며 연습할 수 있도록 배치하였고, 이해를 도울 수 있는 그림과 함께 연습한 후, 숫자와 기호로 된 문제도 꾸준히 반복할 수 있도록 하였습니다.

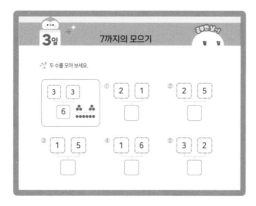
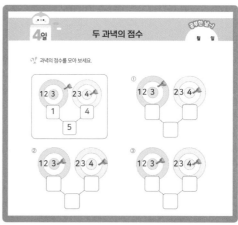

사고력 연산

수학은 규칙의 학문입니다. 사고력 연산의 시작은 새로운 규칙을 이해하고 적용하는 것으로부터 시작합니다.
연산의 개념을 기본으로 사고를 확장할 수 있도록 하였습니다.

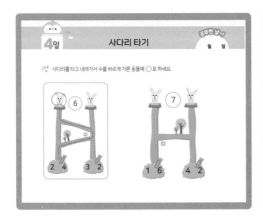

도전! 계산왕

주제가 구분되는 두 개의 단원은 정확성과 빠른 계산을 위한 집중 연습으로 주제를 마무리 합니다.

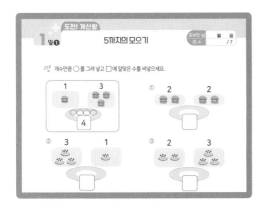

성취도 평가

개념의 이해와 연산의 수행에 부족한 부분은 없는지 성취도 평가를 통해 확인합니다.

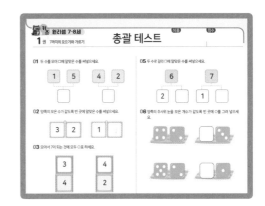

원리셈 100% 활용하기

✓ 책의 사이사이에 학생의 학습을 돕기 위한 저자의 내용을 잘 이용하세요.

📖 단원의 학습 내용과 방향

한 주차가 시작되는 쪽의 아래에 그 단원의 학습 내용과 어떤 방향으로 공부하는지를 설명해 놓았습니다.
학부모님이나 학생이 단원을 시작하기 전에 가볍게 읽어 보고 공부하도록 해 주세요.

📚 이해를 돕는 저자의 동영상 강의

공부를 시작하기 전에 표지의 QR코드를 확인하세요. 책의 학습 흐름과 목표, 그리고 그동안 원리셈을 먼저 공부한 아이들이 겪은 어려움에 대한 대처 방안 등을 설명해 줍니다.

학습 동영상

📓 학습 Tip   간략한 도움글은 각 쪽의 아래에 있습니다.

📝 천종현수학연구소 네이버 카페와 홈페이지를 활용하세요.

카페와 홈페이지에는 추가 문제 자료가 있고, 연산 외에서 수학 학습에 어려움을 상담 받을 수 있습니다.

네이버에서 천종현수학연구소를 검색하세요.

7까지의 모으기

구체물을 직접 세고 그리면서 7까지의 모으기를 공부합니다. 가르기보다 모으기가 더 쉽기 때문에 모으기를 먼저 공부하도록 하였습니다.

월 일

5까지의 모으기

🐰 개수만큼 ◯를 그려 넣으세요.

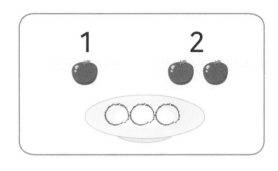

① 2 2
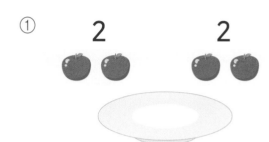

② 2 1

③ 3 2

④ 2 3

⑤ 4 1

⑥ 1 1

⑦ 1 3
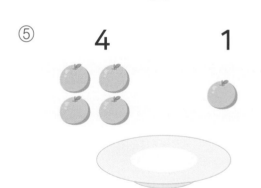

10 키즈 원리셈 - 7·8세 1권

개수만큼 ◯를 그려 넣고 ☐에 알맞은 수를 써넣으세요.

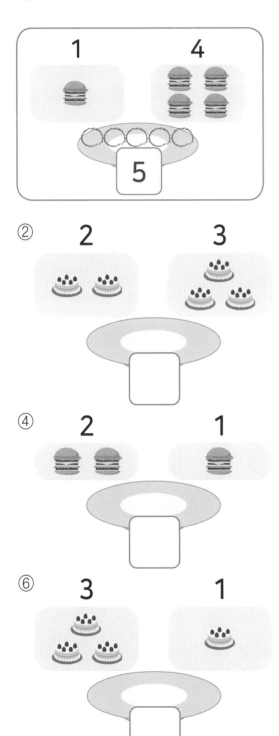

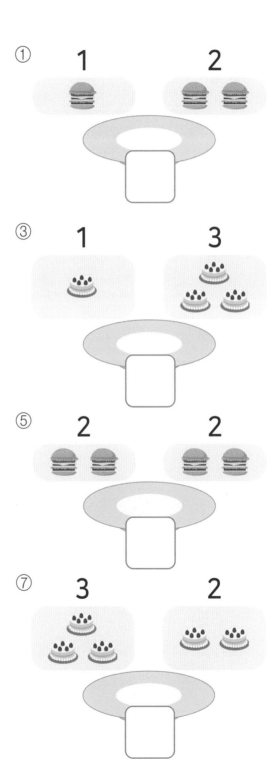

두 수를 모아 보세요.

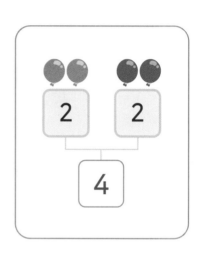

①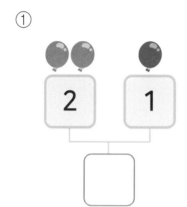

②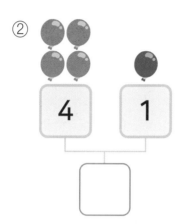

③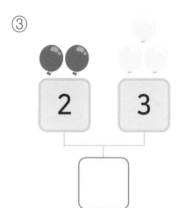

④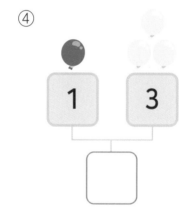

⑤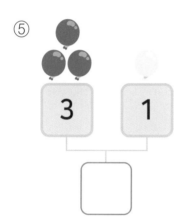

⑥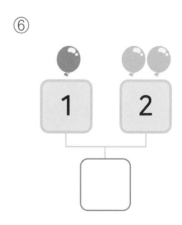

⑦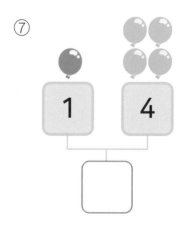

⑧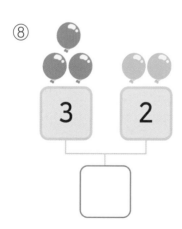

👆 개수만큼 ◯를 그려 넣으세요.

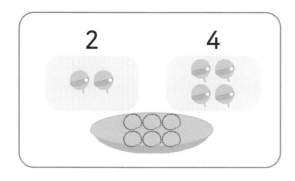

①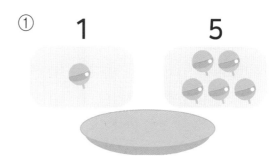

②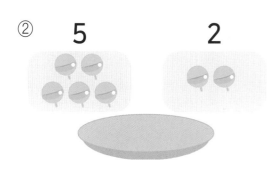

③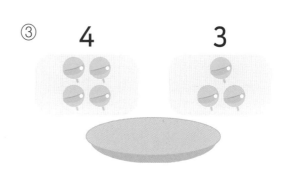

④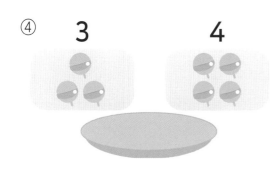

⑤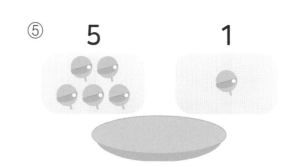

⑥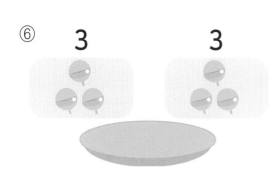

⑦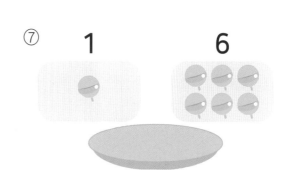

개수만큼 ○를 그려 넣고 □에 알맞은 수를 써넣으세요.

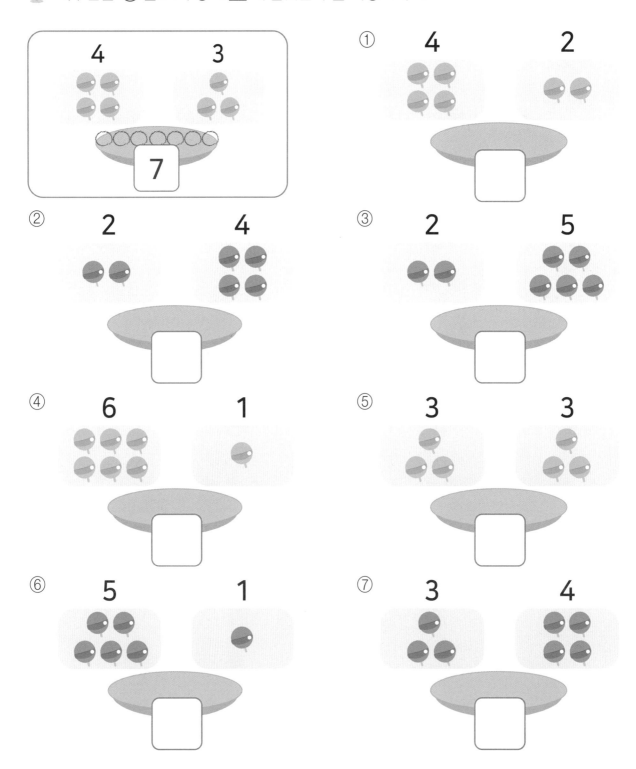

두 수를 모아 보세요.

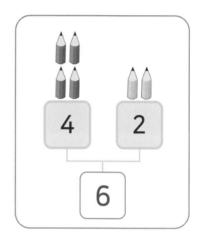

①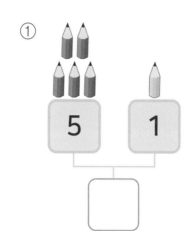

②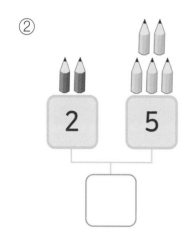

③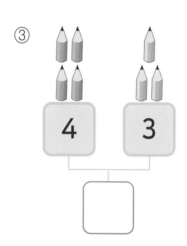

④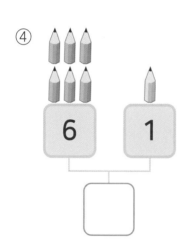

⑤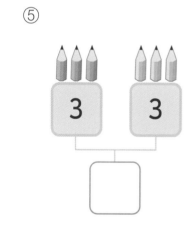

⑥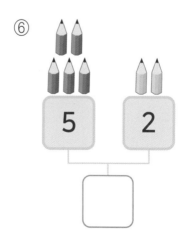

⑦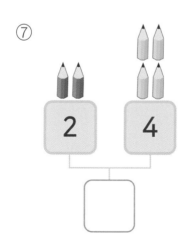

⑧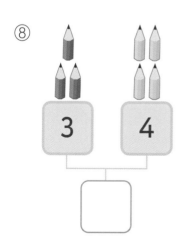

7까지의 모으기

두 수를 모아 보세요.

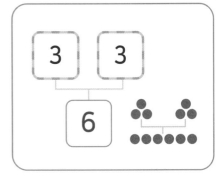

①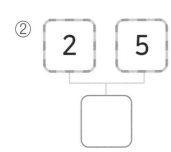

②

③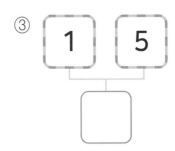

④

⑤

⑥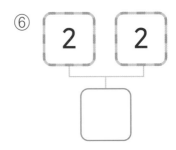

⑦

⑧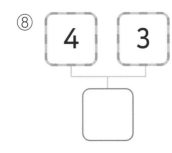

⑨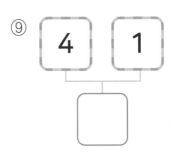

⑩

⑪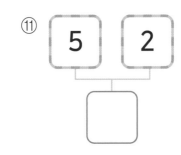

두 수를 모아 보세요.

①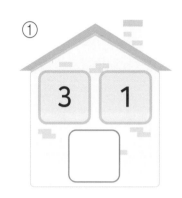

②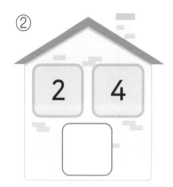

③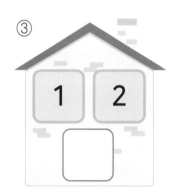

④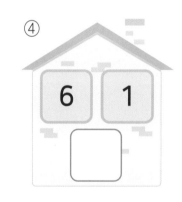

⑤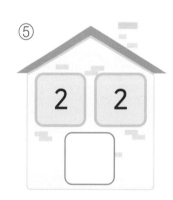

⑥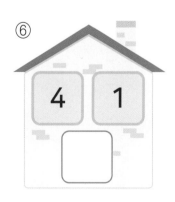

⑦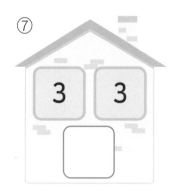

⑧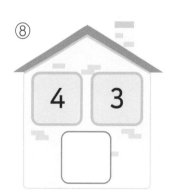

두 과녁의 점수

과녁의 점수를 모아 보세요.

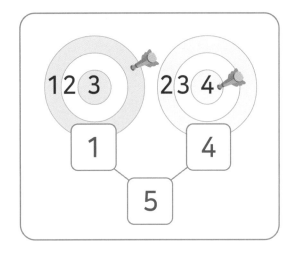

①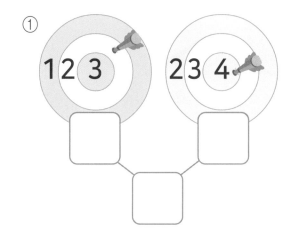

②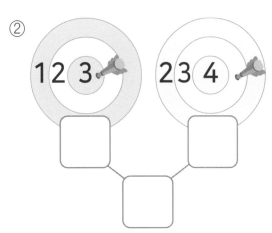

③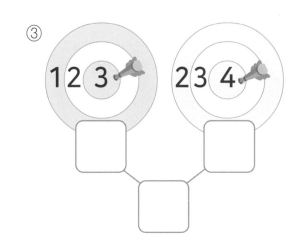

④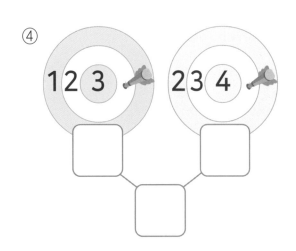

⑤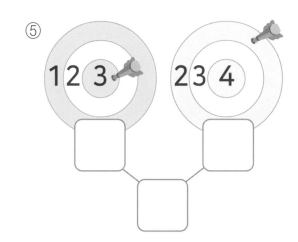

과녁의 점수를 모아 보세요.

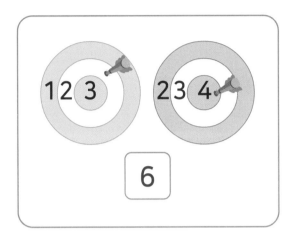

6

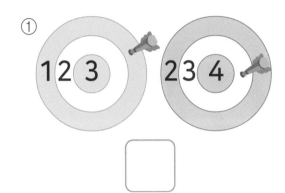

①

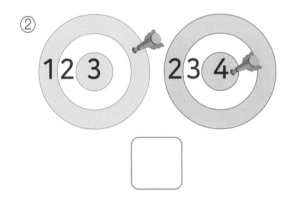

②

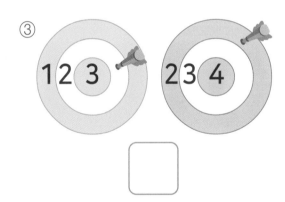

③

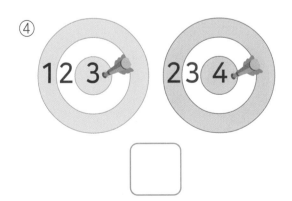

④

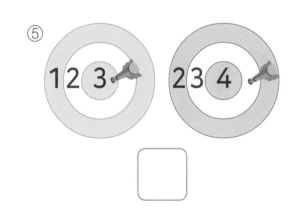

⑤

수를 모아 과녁의 점수가 되는 화살 2개를 찾아 ◯표 하세요.

수를 모아 과녁의 점수가 되는 화살 2개를 찾아 ◯표 하세요.

연산 퍼즐

두 수를 모아 5가 되는 것에 모두 ◯표 하세요.

2	1	2
4	2	3

3	3	6	2
4	2	1	2

4	1		5	2		2	4

4	2		2	2		3	2

주사위의 두 눈을 모아 6이 되는 것에 모두 ◯표 하세요.

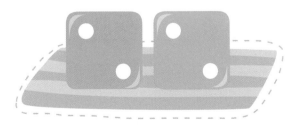

두 수를 모아 7이 되는 칸에 모두 색칠하세요. 어떤 숫자가 보일까요?

3 3	1 1	3 2	2 4	4 1
4 1	2 5	5 1	1 6	2 3
3 2	3 4	1 4	4 3	4 1
1 3	1 6	4 3	5 2	6 1
2 2	4 2	2 4	3 4	3 1

2 주차

도전! 계산왕

1일 ❶ 7까지의 모으기

🎵 개수만큼 ◯를 그려 넣고 ☐에 알맞은 수를 써넣으세요.

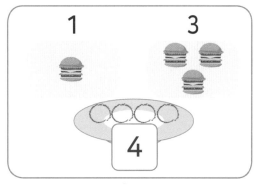

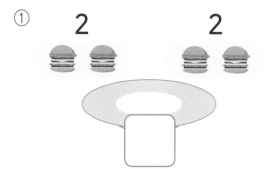

① 2   2

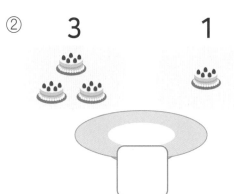

② 3   1

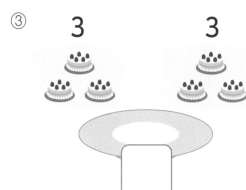

③ 3   3

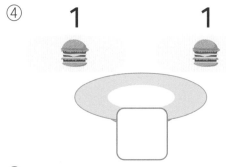

④ 1   1

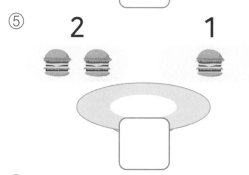

⑤ 2   1

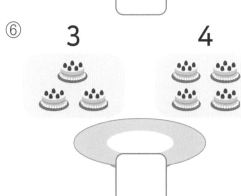

⑥ 3   4

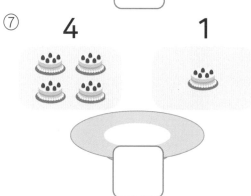

⑦ 4   1

7까지의 모으기

✏️ 두 수를 모아 보세요.

①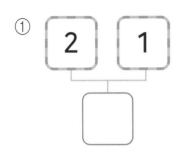

②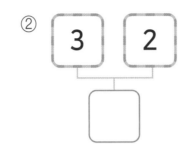

③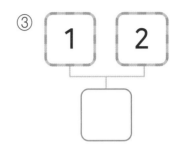

④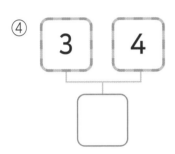

⑤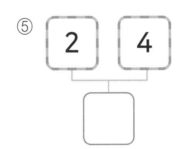

⑥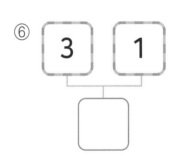

⑦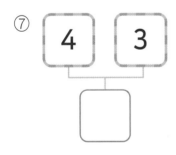

⑧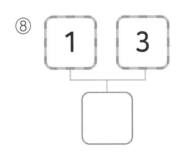

⑨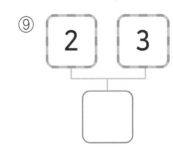

⑩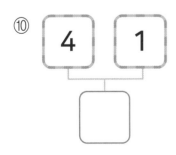

⑪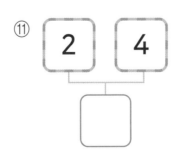

⑫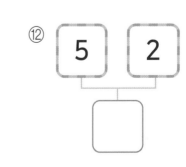

7까지의 모으기

🎵 두 수를 모아 보세요.

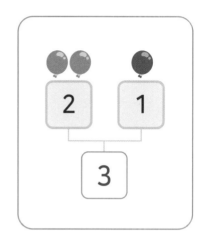

①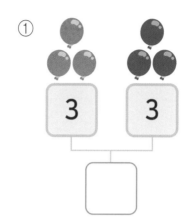

②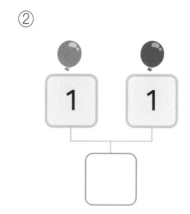

③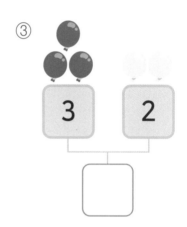

④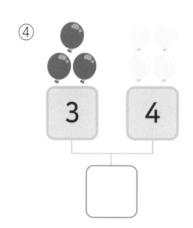

⑤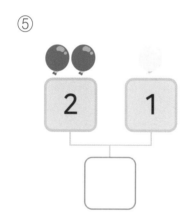

⑥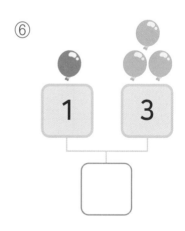

⑦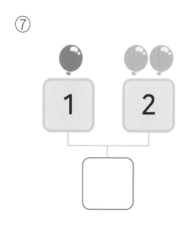

⑧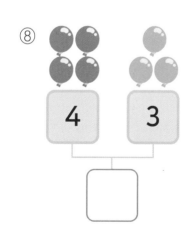

7까지의 모으기

🎵 두 수를 모아 보세요.

①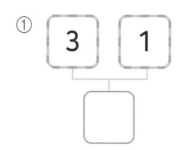

②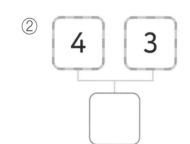

③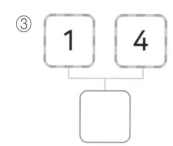

④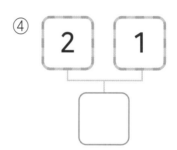

⑤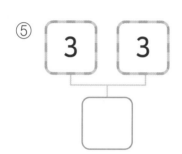

⑥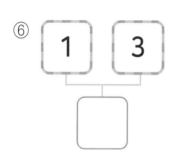

⑦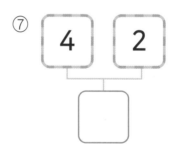

⑧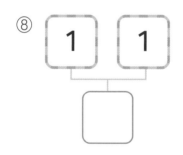

⑨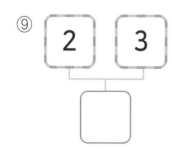

⑩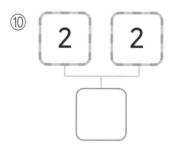

⑪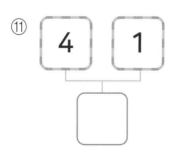

⑫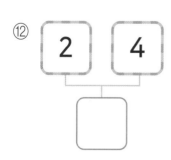

7까지의 모으기

공부한 날 | 월 일
점 수 | / 7

개수만큼 ◯를 그려 넣으세요.

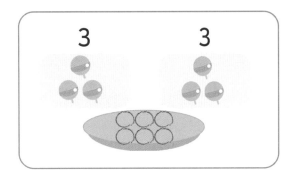

①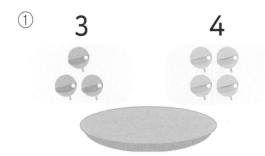

②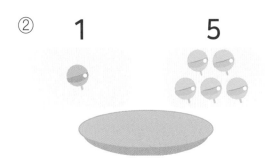

③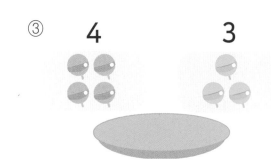

④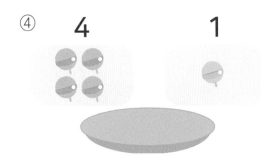

⑤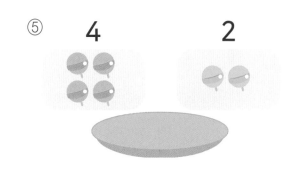

⑥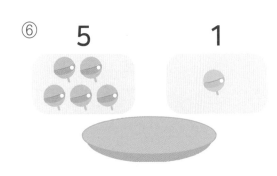

⑦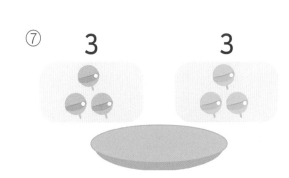

3일 ❷

7까지의 모으기

🎵 두 수를 모아 보세요.

①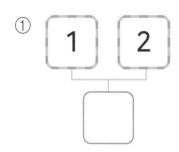

②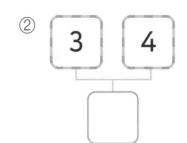

③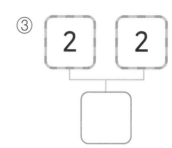

④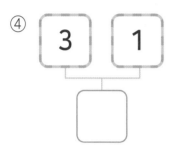

⑤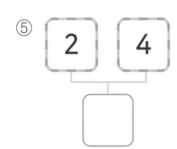

⑥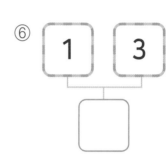

⑦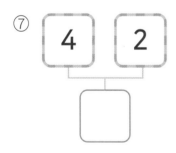

⑧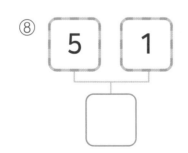

⑨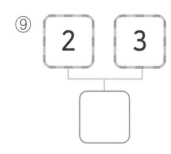

⑩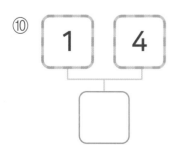

⑪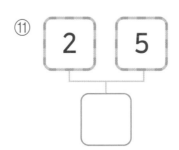

⑫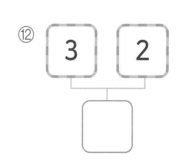

7까지의 모으기

공부한 날	월 일
점 수	/ 8

두 수를 모아 보세요.

①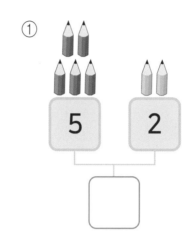

②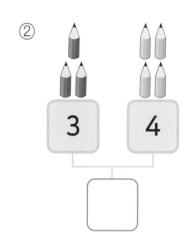

③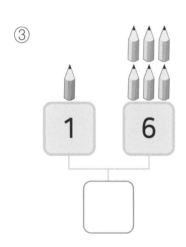

④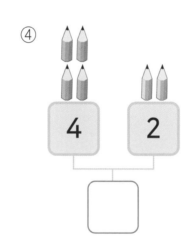

⑤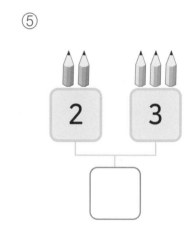

⑥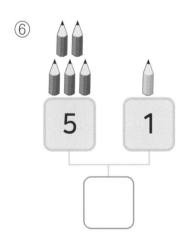

⑦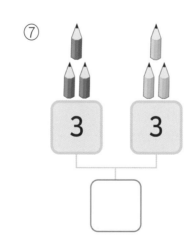

⑧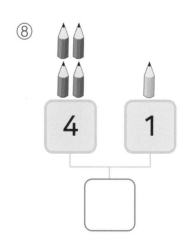

7까지의 모으기

🐛 두 수를 모아 보세요.

①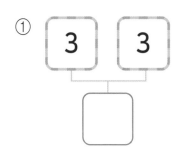

②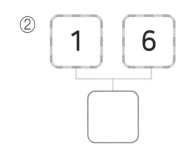

③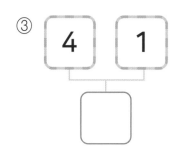

④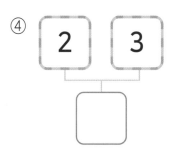

⑤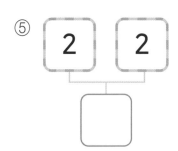

⑥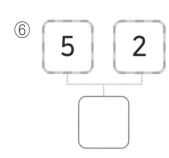

⑦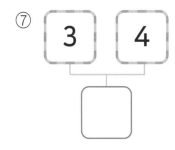

⑧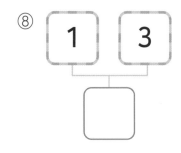

⑨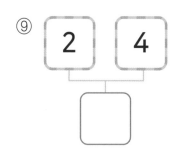

⑩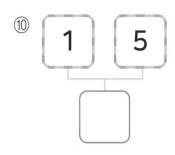

⑪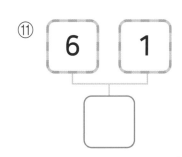

⑫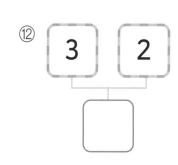

5일 ❶

7까지의 모으기

공부한 날 | 월 | 일
점 수 | | / 8

🎈 두 수를 모아 보세요.

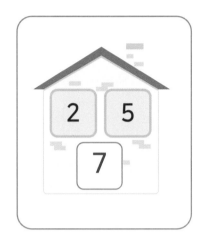

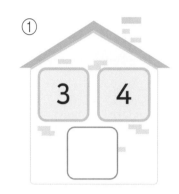

① 3 4

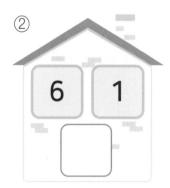

② 6 1

③ 2 4

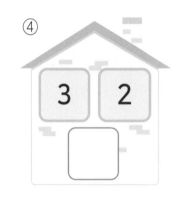

④ 3 2

⑤ 4 3

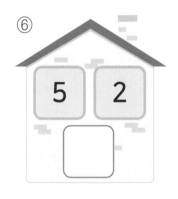

⑥ 5 2

⑦ 1 6

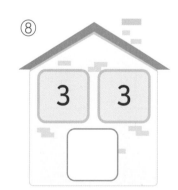

⑧ 3 3

5일❷

7까지의 모으기

💡 두 수를 모아 보세요.

①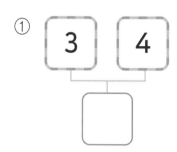

②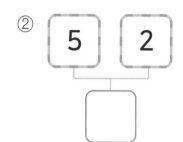

③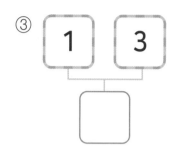

④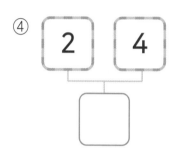

⑤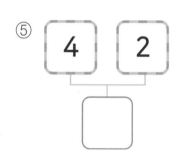

⑥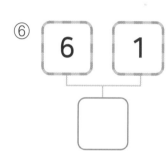

⑦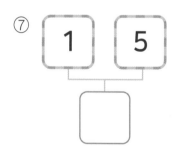

⑧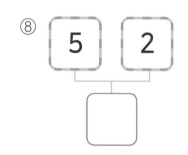

⑨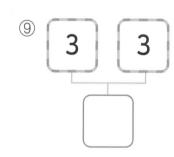

⑩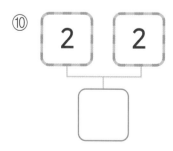

⑪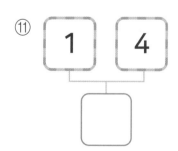

⑫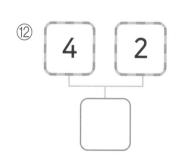

3주차

5까지의 가르기

개수를 직접 세면서 5까지의 가르기에 대하여 공부합니다. 가르기는 뺄셈에 대한 기초 학습이고 모으기보다 어렵기 때문에 연습을 충분히 하도록 하였습니다.

개수 세어서 가르기

여러 가지 방법으로 묶고 □에 묶은 개수를 써넣으세요.

| 1 | 1 |

① | 1 | 2 |
| | |

② | | |

③ | | |

④ | | |

⑤ | | |

⑥ | | |

⑦ | | |

⑧ | | |

개수만큼 ◯를 그려 넣으세요.

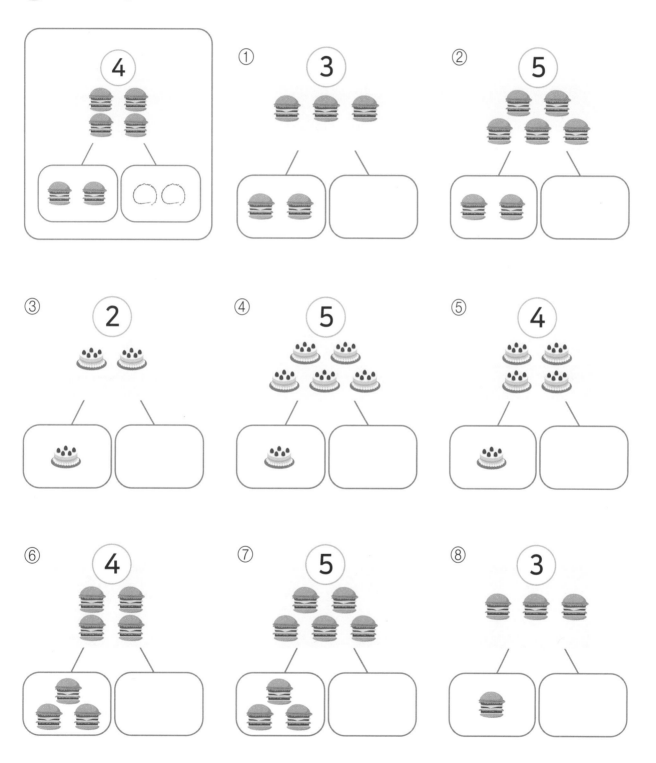

개수만큼 ◯를 그려 넣고 ☐에 알맞은 수를 써넣으세요.

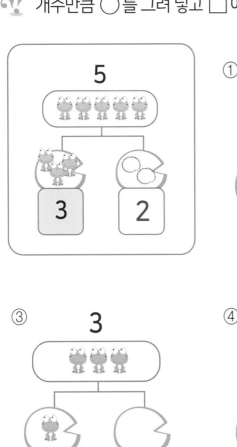

①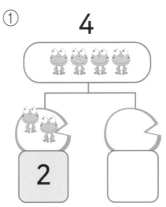

②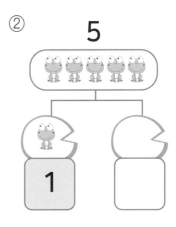

③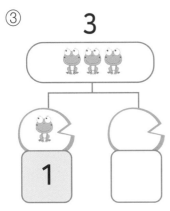

④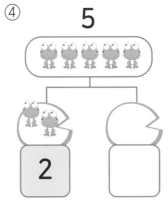

⑤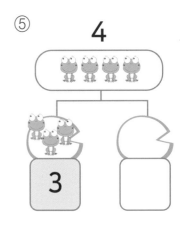

⑥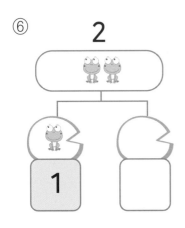

⑦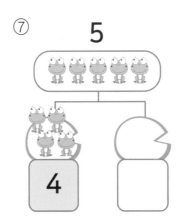

⑧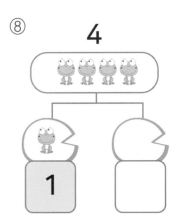

5까지의 가르기

💡 두 수로 갈라 ☐ 에 알맞은 수를 써넣으세요.

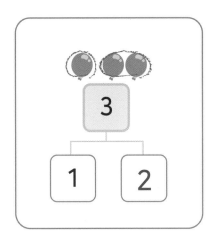

3

1 2

①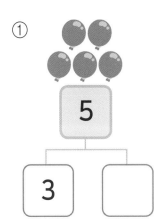

5

3 ☐

②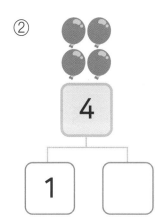

4

1 ☐

③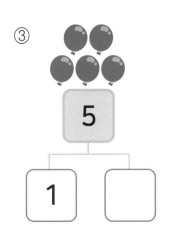

5

1 ☐

④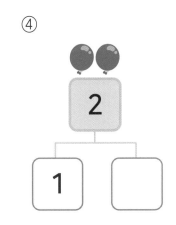

2

1 ☐

⑤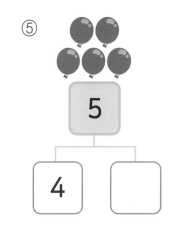

5

4 ☐

⑥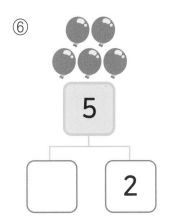

5

☐ 2

⑦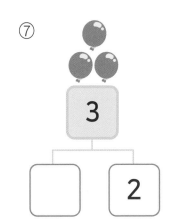

3

☐ 2

⑧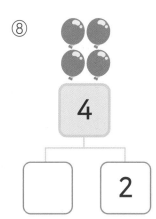

4

☐ 2

두 수로 갈라 ☐ 에 알맞은 수를 써넣으세요.

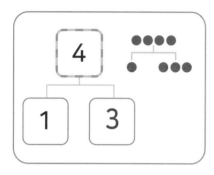

①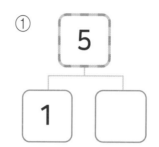

②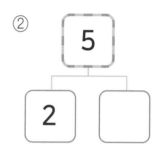

③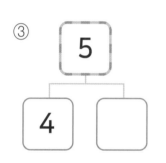

④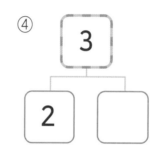

⑤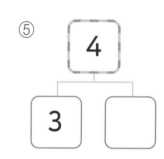

⑥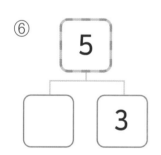

⑦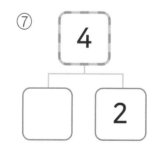

⑧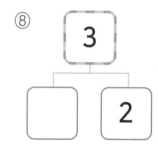

⑨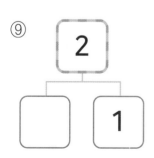

⑩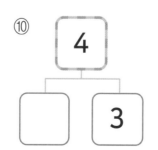

⑪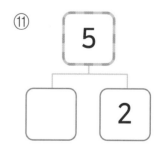

두 수로 갈라 □에 알맞은 수를 써넣으세요.

①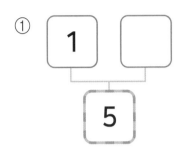

②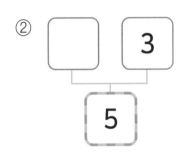

③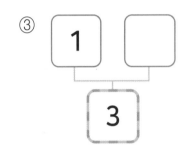

④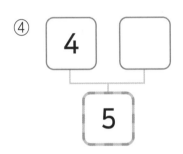

⑤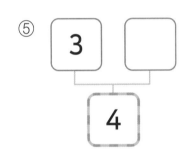

⑥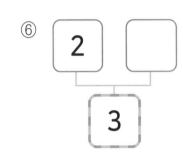

⑦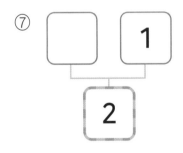

⑧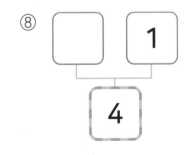

⑨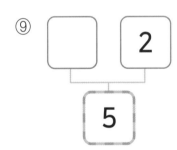

⑩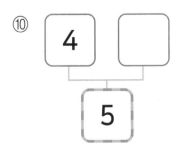

⑪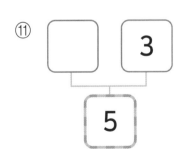

⑫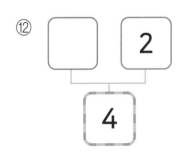

두 수로 갈라 보세요.

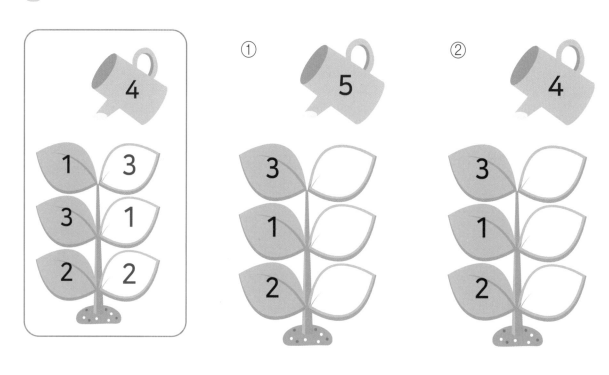

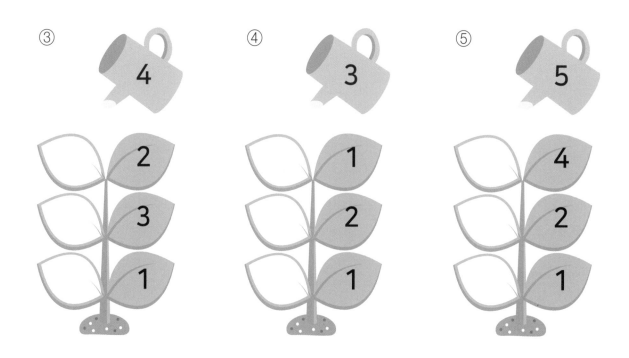

두 수로 갈라 보세요.

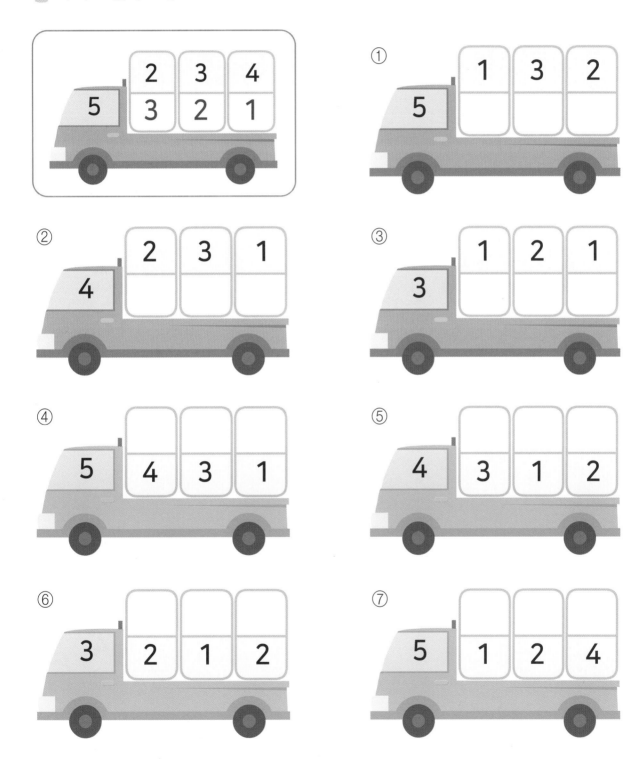

보기

5 | 2/3 | 3/2 | 4/1

① 5 | 1 | 3 | 2

② 4 | 2 | 3 | 1

③ 3 | 1 | 2 | 1

④ 5 | 4 | 3 | 1

⑤ 4 | 3 | 1 | 2

⑥ 3 | 2 | 1 | 2

⑦ 5 | 1 | 2 | 4

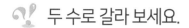 두 수로 갈라 보세요.

①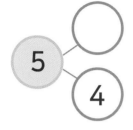

②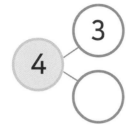

③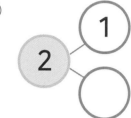

④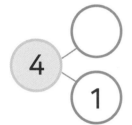

⑤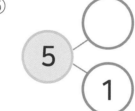

⑥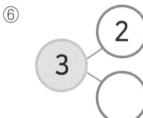

⑦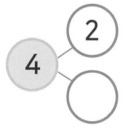

⑧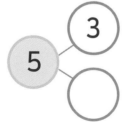

⑨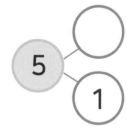

⑩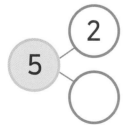

⑪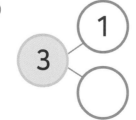

⑫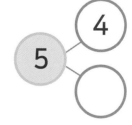

구슬의 개수

줄에 구슬이 연결되어 있습니다. 상자 안에 있는 구슬은 몇 개인지 □ 에 써넣으세요.

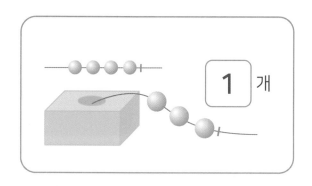

1 개

①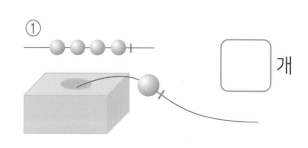

개

②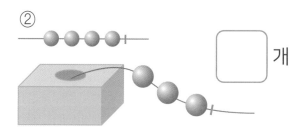

개

③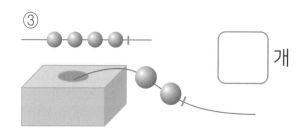

개

④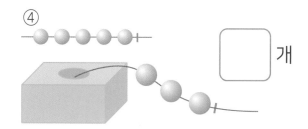

개

⑤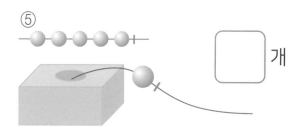

개

⑥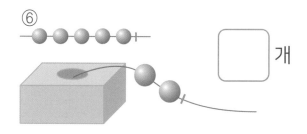

개

⑦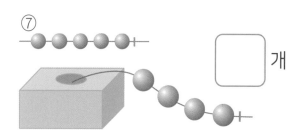

개

두 줄에 각각 구슬 3개가 연결되어 있습니다. 상자 안에 있는 구슬은 몇 개인지 ☐ 에 써넣으세요.

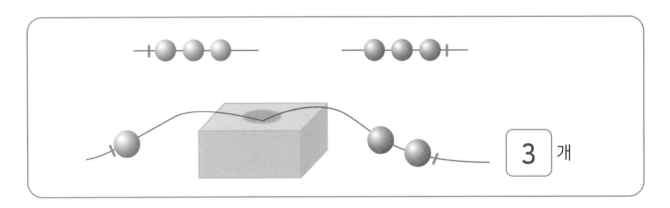

3 개

①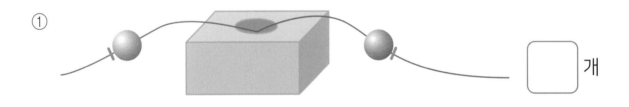

☐ 개

②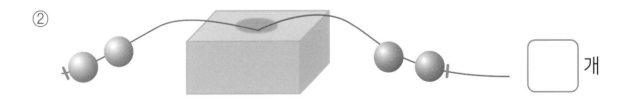

☐ 개

③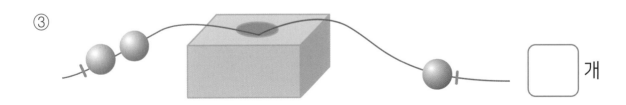

☐ 개

두 줄에 파란색 구슬은 3개, 빨간색 구슬은 4개가 연결되어 있습니다. 상자 안에 있는 구슬은 몇 개인지 ☐ 에 써넣으세요.

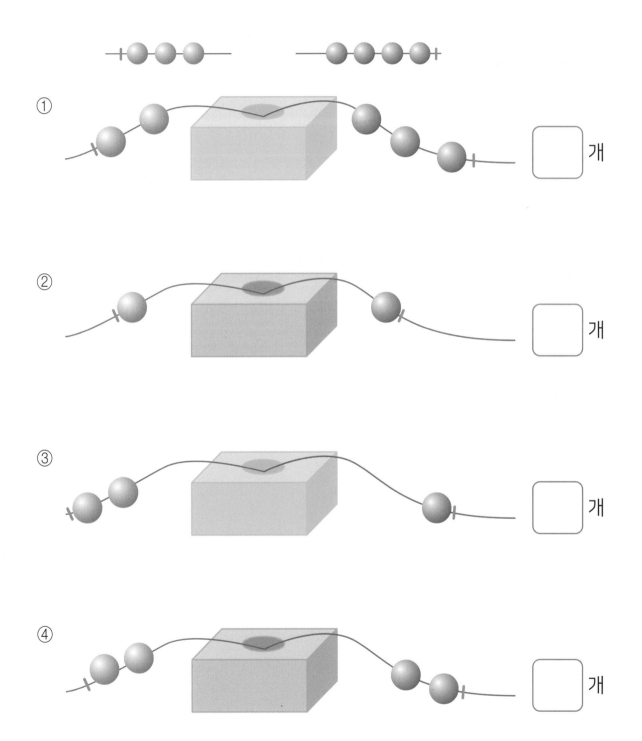

① ☐ 개

② ☐ 개

③ ☐ 개

④ ☐ 개

연산 퍼즐

아래의 수를 하나씩 넣어서 두 수를 갈라 보세요.

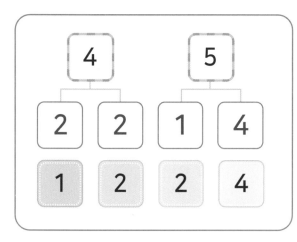

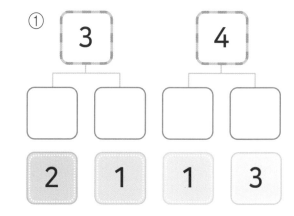

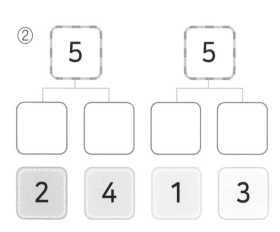

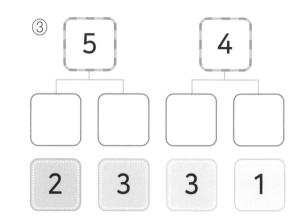

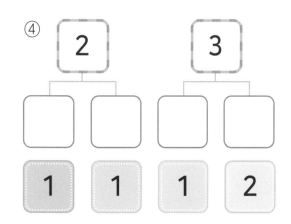

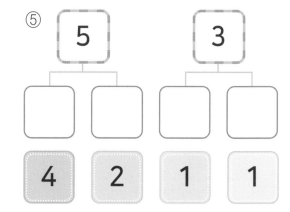

아래의 수를 하나씩 넣어서 두 수를 갈라 보세요.

①
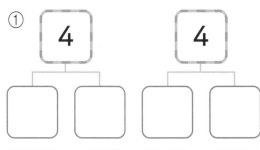

4 → □ □
4 → □ □

2 3 1 2

②
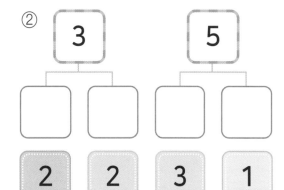

3 → □ □
5 → □ □

2 2 3 1

③
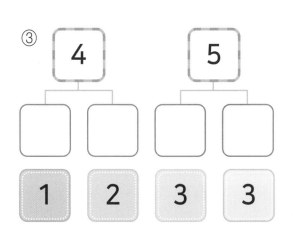

4 → □ □
5 → □ □

1 2 3 3

④
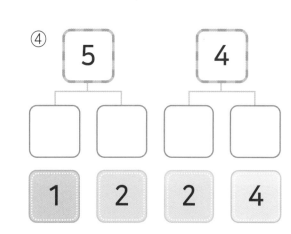

5 → □ □
4 → □ □

1 2 2 4

⑤
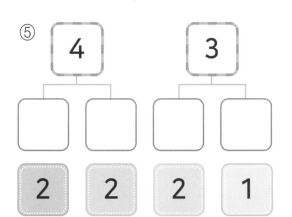

4 → □ □
3 → □ □

2 2 2 1

⑥
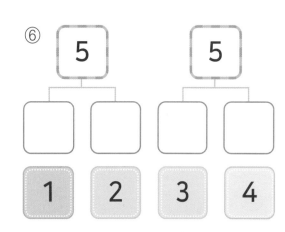

5 → □ □
5 → □ □

1 2 3 4

가른 수에 ◯표 하세요.

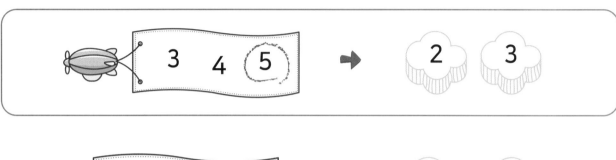

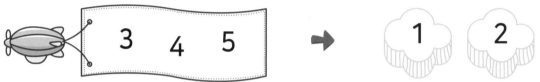

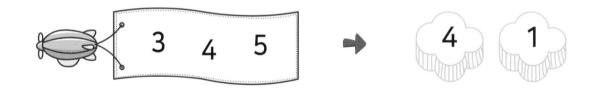

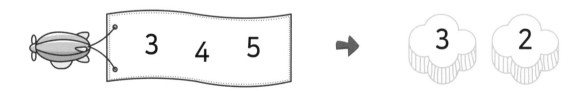

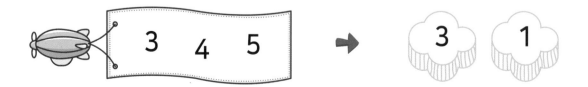

6과 7 가르기

6과 7에 대한 가르기를 공부합니다. 5까지의 가르기는 3주차에 충분히 다루었으므로 4주차에는 6과 7에 대한 가르기를 위주로 공부합니다.

여러 가지 방법으로 묶고 ☐ 에 묶은 개수를 써넣으세요.

1	5
①	
②	
③	
④	

1	6
⑤	
⑥	
⑦	
⑧	
⑨	

개수만큼 ◯를 그려 넣으세요.

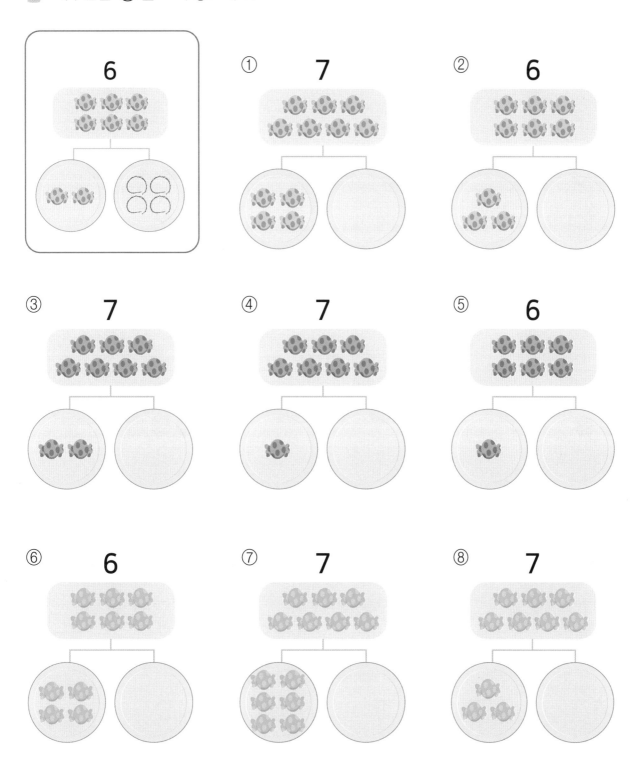

개수만큼 ◯를 그려 넣고 □에 알맞은 수를 써넣으세요.

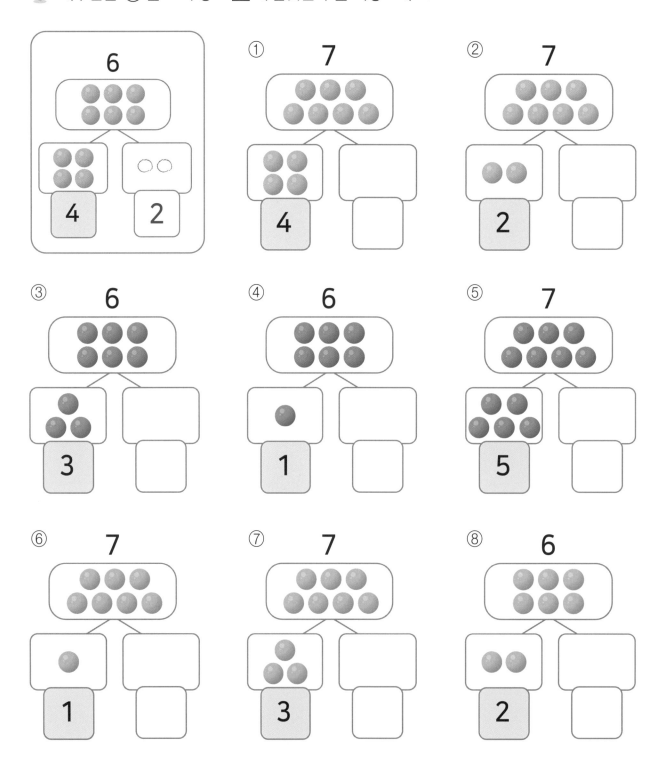

① 7

② 7

③ 6

④ 6

⑤ 7

⑥ 7

⑦ 7

⑧ 6

🐧 두 수로 갈라 ☐ 에 알맞은 수를 써넣으세요.

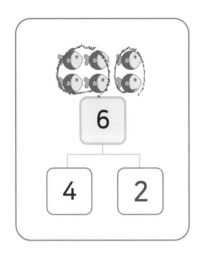

6

| 4 | 2 |

①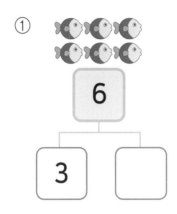

6

| 3 | |

②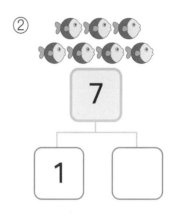

7

| 1 | |

③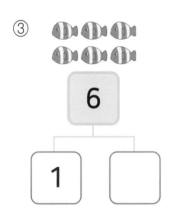

6

| 1 | |

④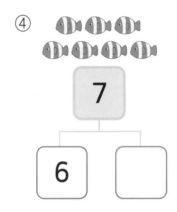

7

| 6 | |

⑤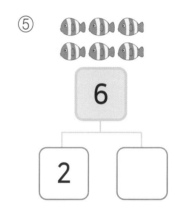

6

| 2 | |

⑥

7

| 5 | |

⑦

7

| 3 | |

⑧

6

| 5 | |

두 수로 갈라 ☐ 에 알맞은 수를 써넣으세요.

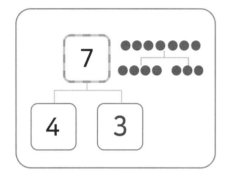

①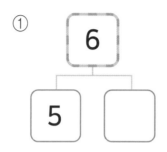

②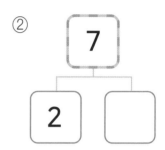

③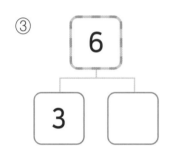

④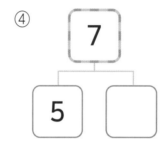

⑤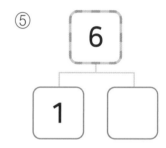

⑥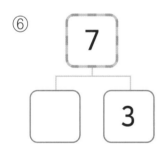

⑦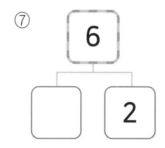

⑧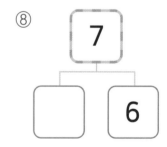

⑨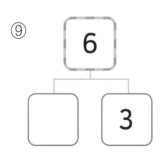

⑩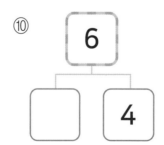

⑪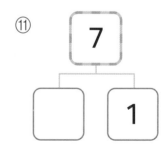

두 수로 갈라 ☐ 에 알맞은 수를 써넣으세요.

①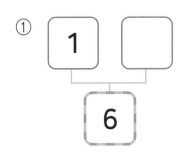

②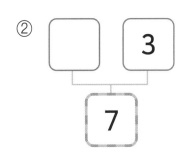

③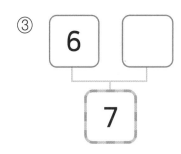

④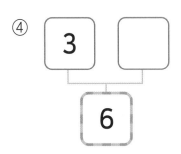

⑤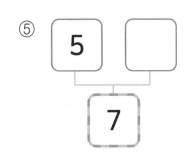

⑥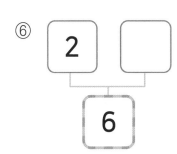

⑦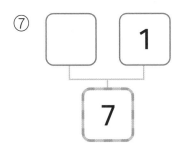

⑧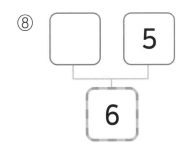

⑨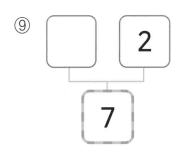

⑩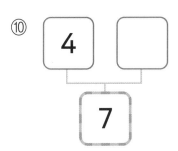

⑪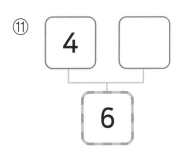

⑫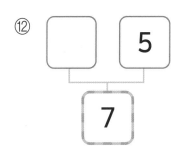

7까지의 가르기

 두 수로 갈라 보세요.

①

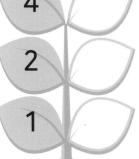

②

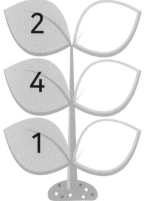

③

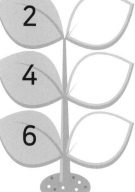

④

⑤

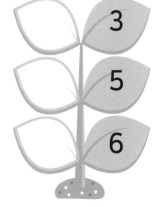

⑥

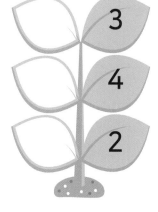

두 수로 갈라 보세요.

① 6 | 2 3 5
② 5 | 1 3 4
③ 7 | 2 3 5
④ 4 | 1 2 3
⑤ 6 | 1 4 5
⑥ 7 | 1 4 6
⑦ 4 | 2 1 3
⑧ 5 | 1 2 3

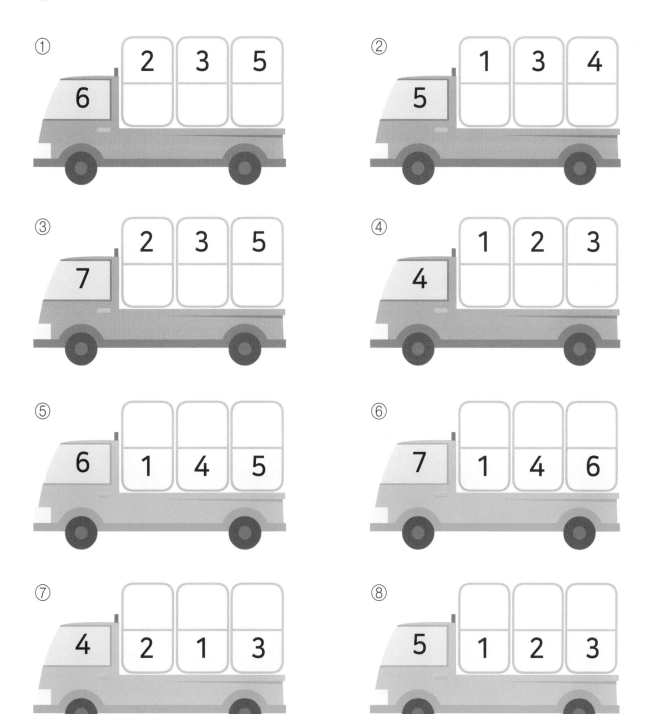

사다리 타기

💡 사다리를 타고 내려가서 수를 바르게 가른 동물에 ◯표 하세요.

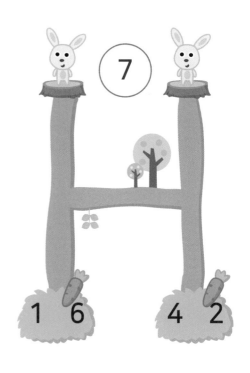

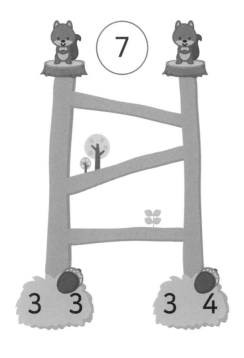

💡 사다리를 타고 내려가 전등의 수를 가른 두 수를 만나면 불이 켜집니다. 전등에 불이 켜지도록 전등의 빈 곳에 알맞은 수를 써넣으세요.

①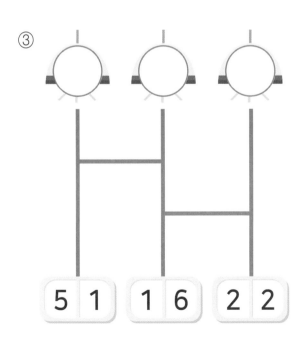

7

| 2 | 4 | | 3 | 2 | | 5 | 2 |

②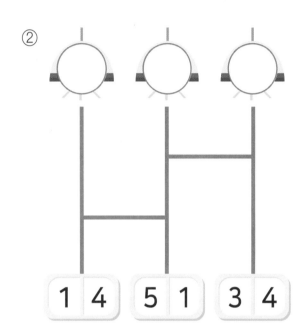

| 1 | 4 | | 5 | 1 | | 3 | 4 |

③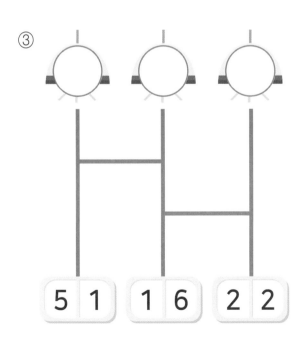

| 5 | 1 | | 1 | 6 | | 2 | 2 |

④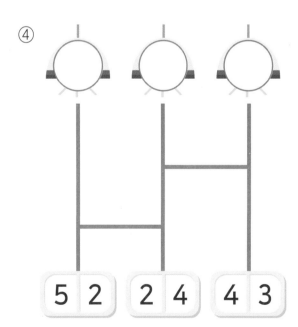

| 5 | 2 | | 2 | 4 | | 4 | 3 |

6을 가른 수에 도착하는 자동차에 모두 ◯표 하세요.

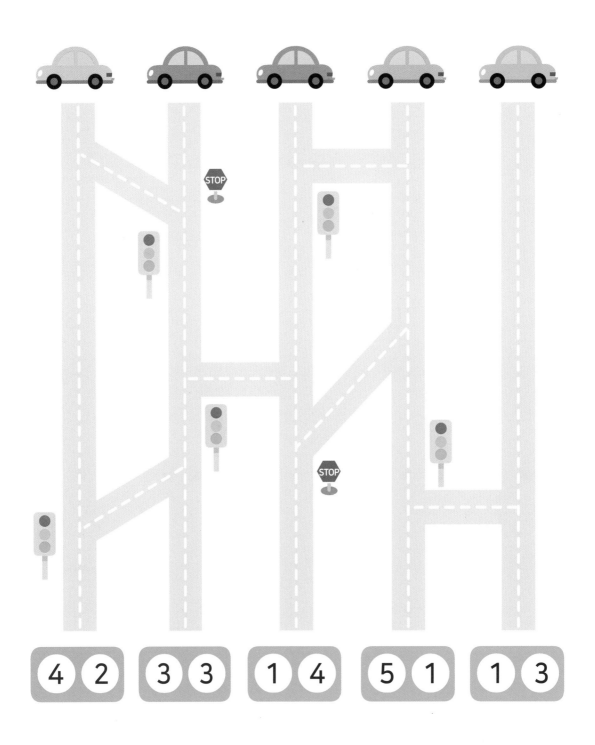

7을 가른 수에 착륙하는 헬리콥터에 모두 ◯표 하세요.

연산 퍼즐

🦴 가른 두 수를 찾아 선으로 연결하세요.

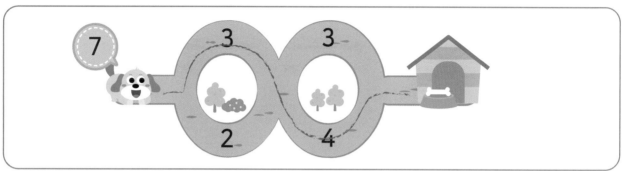

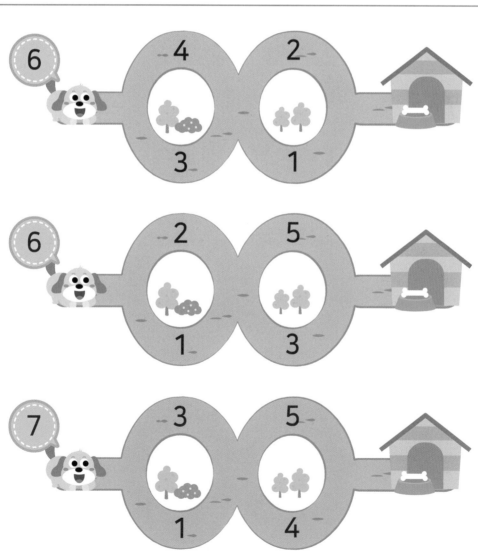

가른 두 수를 찾아 선으로 연결하세요.

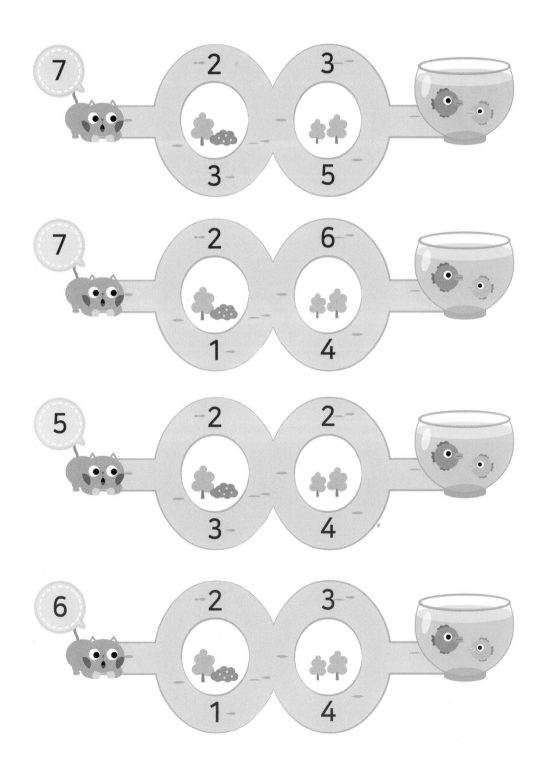

7을 두 수로 가른 곳을 따라가면서 선을 이어 보세요.

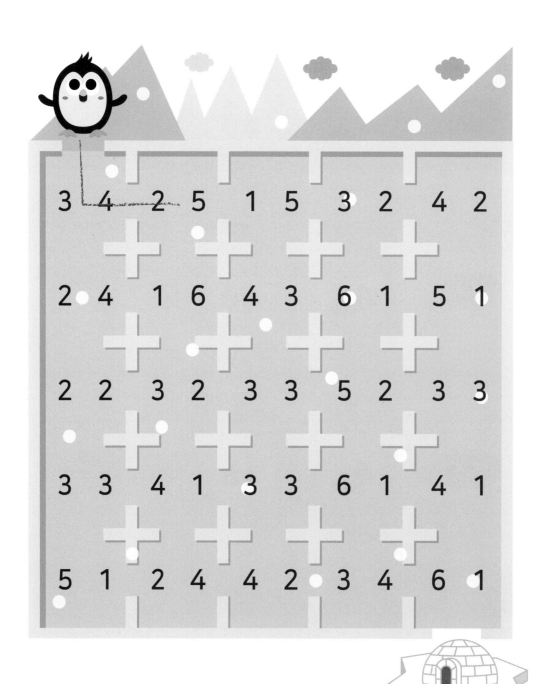

7까지의 모으기와 가르기

가르기, 모으기를 확장하여 연습합니다. 7까지의 여러 가지 가르기를 모두 찾아보고 가르기, 모으기를 함께 적용한 문제를 해결합니다. 가르기, 모으기를 함께 적용하는 문제는 초등 수학 경시에서도 자주 출제됩니다.

💡 그림을 보고 빈 곳에 알맞은 수를 써넣으세요.

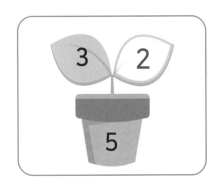

①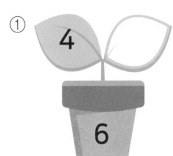

②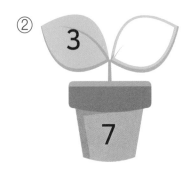

③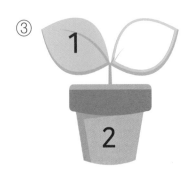

④

⑤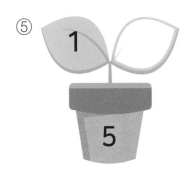

⑥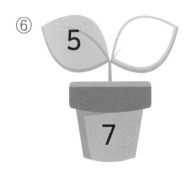

⑦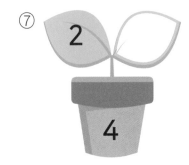

⑧

⑨

⑩

⑪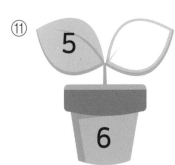

그림을 보고 빈 곳에 알맞은 수를 써넣으세요.

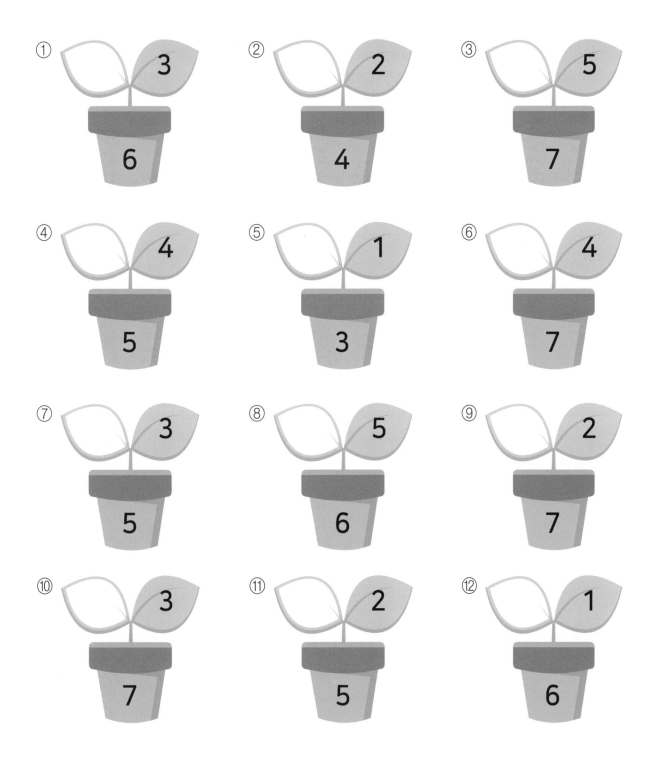

두 수를 모아 보세요.

①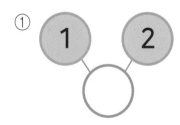

②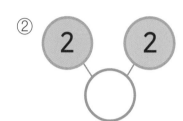

③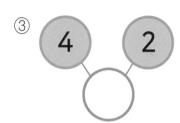

④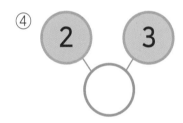

⑤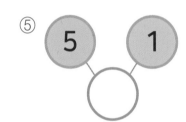

⑥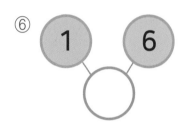

⑦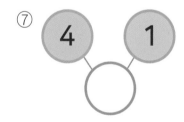

⑧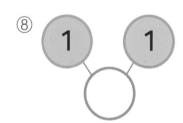

⑨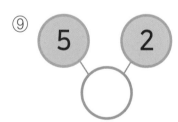

⑩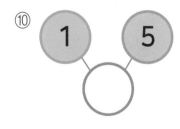

⑪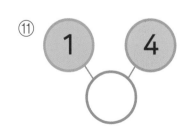

⑫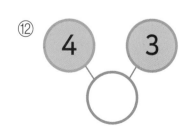

7까지의 가르기

여러 가지 방법으로 4와 5를 갈라 보세요.

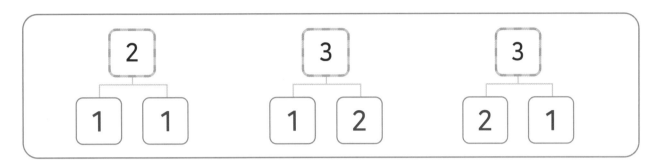

①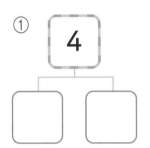

②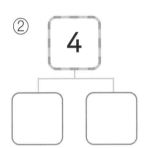

③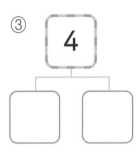

④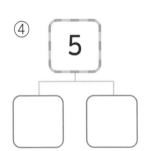

⑤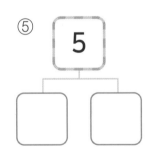

⑥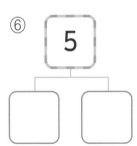

⑦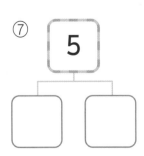

여러 가지 방법으로 6과 7을 갈라 보세요.

①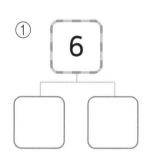

②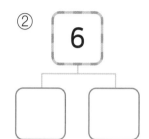

③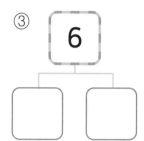

④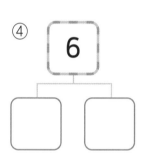

⑤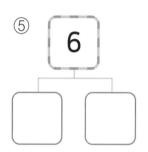

⑥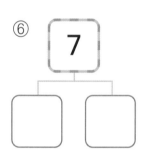

⑦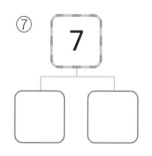

⑧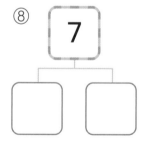

⑨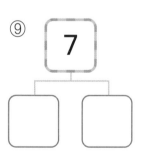

⑩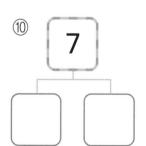

⑪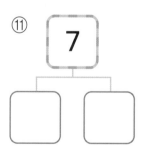

두 수로 갈라 보세요.

①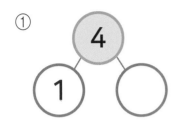

②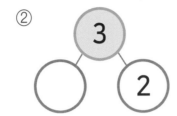

③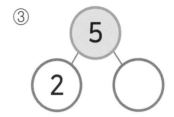

④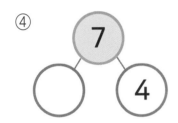

⑤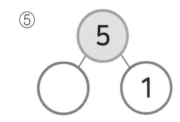

⑥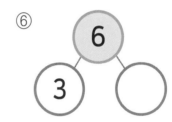

⑦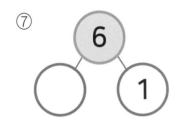

⑧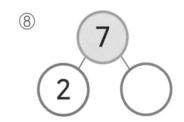

⑨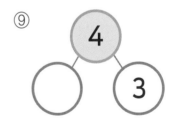

⑩

⑪

⑫

가르고 모으기

수를 가르고 모았습니다. 빈 곳에 알맞은 수를 써넣으세요.

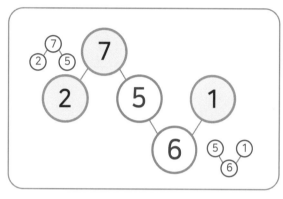

①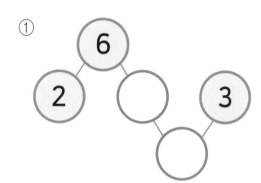

②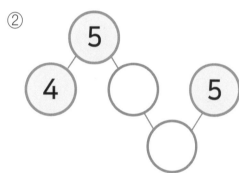

③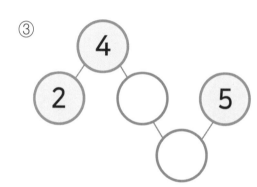

④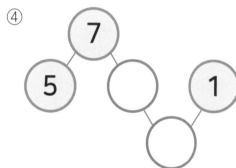

⑤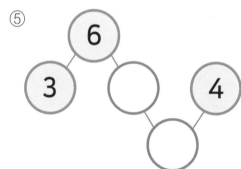

⑥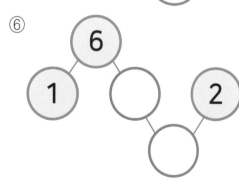

⑦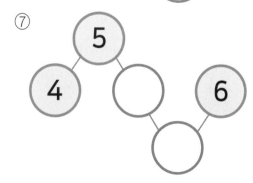

수를 가르고 모았습니다. 빈 곳에 알맞은 수를 써넣으세요.

①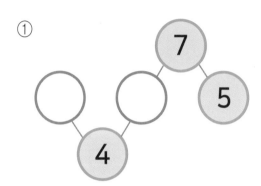

②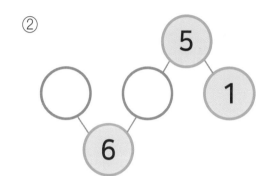

③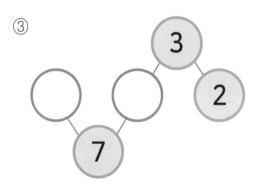

④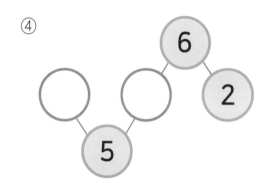

⑤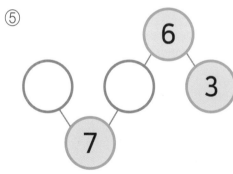

⑥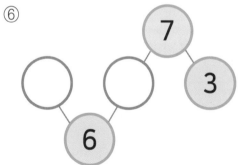

⑦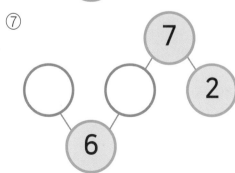

⑧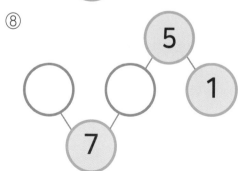

수를 가르고 모았습니다. ☐에 알맞은 수를 써넣으세요.

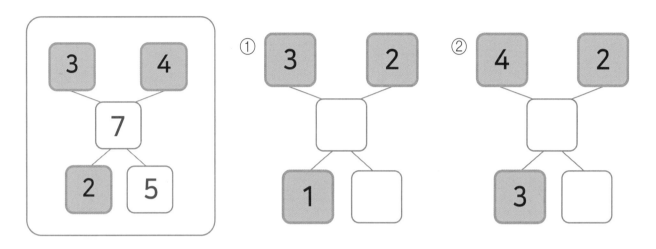

① 3 2 → ☐ / 1 ☐

② 4 2 → ☐ / 3 ☐

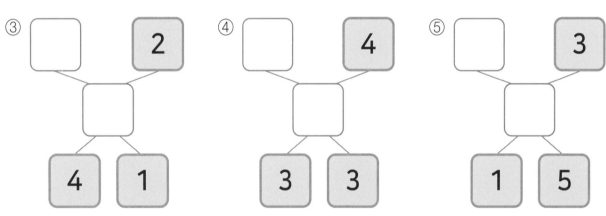

③ ☐ 2 → ☐ / 4 1

④ ☐ 4 → ☐ / 3 3

⑤ ☐ 3 → ☐ / 1 5

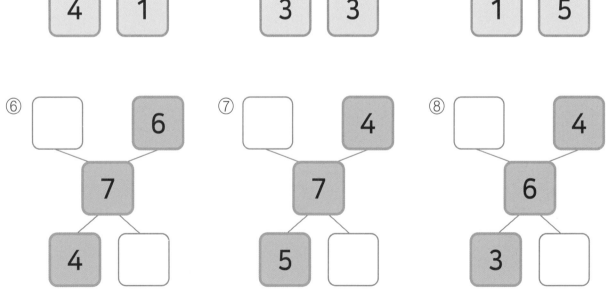

⑥ ☐ 6 → 7 / 4 ☐

⑦ ☐ 4 → 7 / 5 ☐

⑧ ☐ 4 → 6 / 3 ☐

공부한 날~!

월   일

같게 만들기

4일

양쪽의 주사위 눈을 모은 개수가 같도록 빈 곳에 ◯ 를 그려 넣으세요.

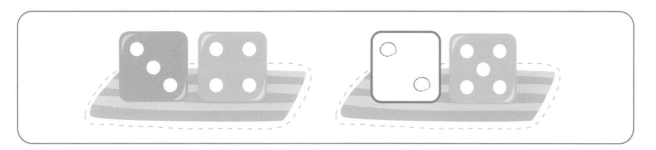

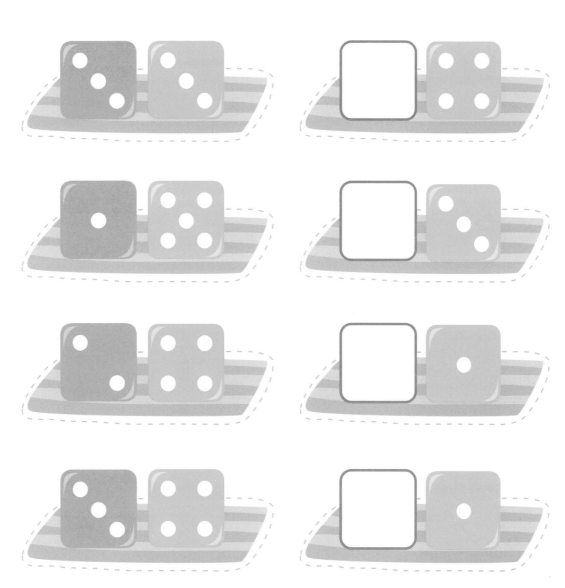

양쪽의 모은 수가 같도록 빈 곳에 알맞은 수를 써넣으세요.

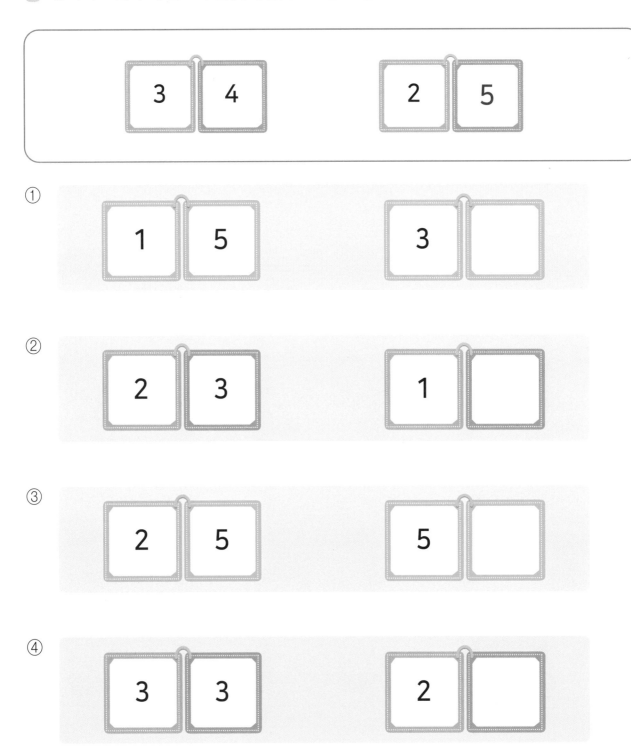

양쪽의 모은 수가 같도록 빈 곳에 알맞은 수를 써넣으세요.

① [ ] 3   2 2

② [ ] 3   5 2

③ [ ] 4   6 1

④ [ ] 2   3 3

⑤ [ ] 2   4 1

⑥ [ ] 6   2 5

모아서 6이 되는 수끼리 선으로 이으세요.

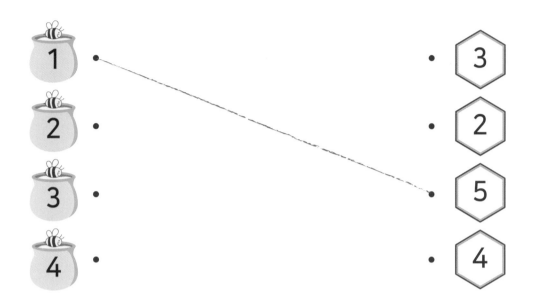

1	3
2	2
3	5
4	4

7을 가른 두 수를 찾아 선으로 이으세요.

5	6
3	5
4	4
1	3
2	2

모아서 아래의 수가 되는 두 수를 찾아 선으로 이으세요.

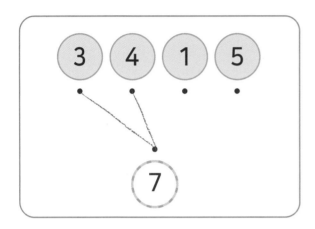

가른 두 수를 찾아 선으로 이으세요.

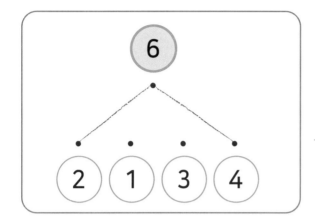

6

2 1 3 4

7

6 3 2 4

7

2 6 1 3

5

3 1 2 5

7

2 4 1 6

6

3 2 5 4

도전! 계산왕

1일 ❶

7까지의 모으기와 가르기

🎐 개수만큼 ◯를 그려 넣으세요.

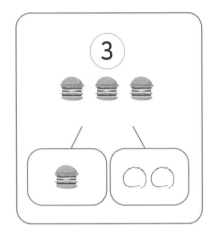

①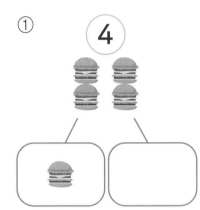

②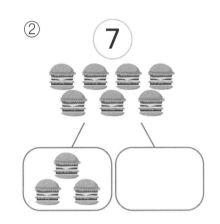

③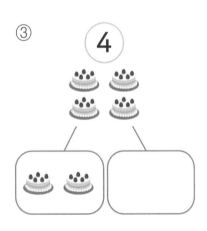

④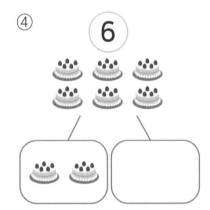

⑤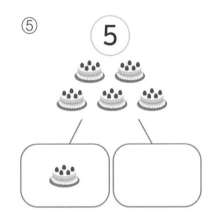

⑥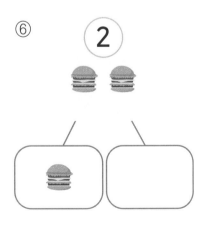

⑦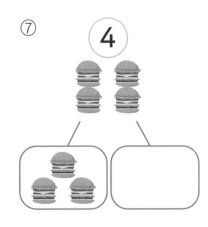

⑧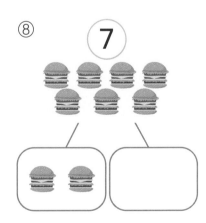

7까지의 모으기와 가르기

💡 두 수로 갈라 보세요.

①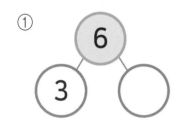

②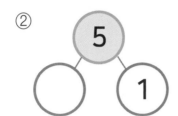

③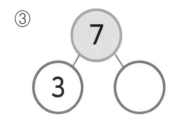

④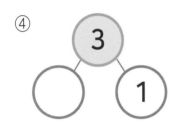

⑤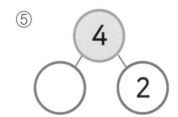

⑥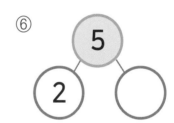

⑦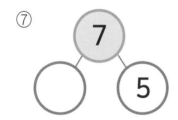

⑧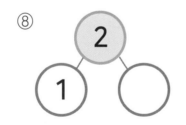

⑨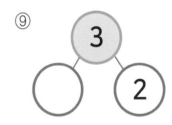

⑩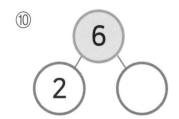

⑪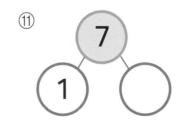

⑫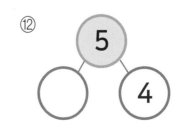

7까지의 모으기와 가르기

💡 두 수로 갈라 ☐에 알맞은 수를 써넣으세요.

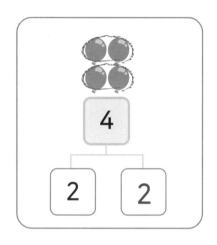

①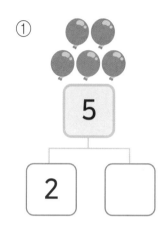

②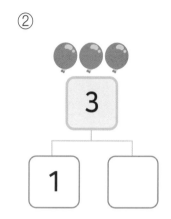

③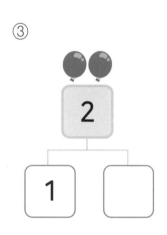

④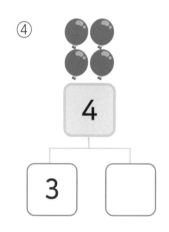

⑤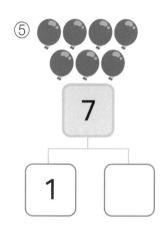

⑥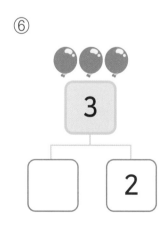

⑦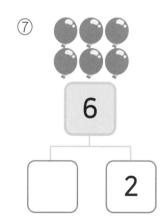

⑧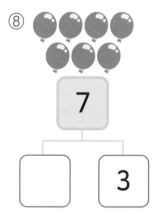

7까지의 모으기와 가르기

두 수로 갈라 보세요.

①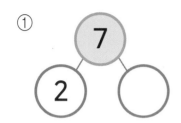

②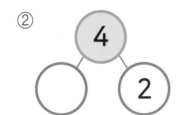

③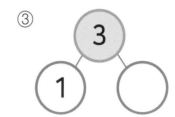

④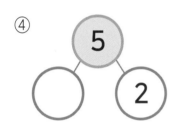

⑤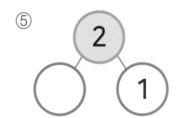

⑥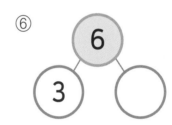

⑦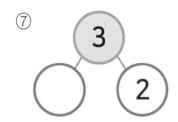

⑧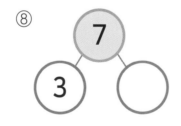

⑨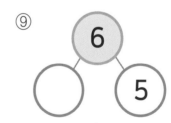

⑩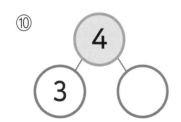

⑪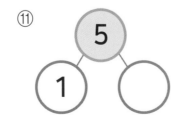

⑫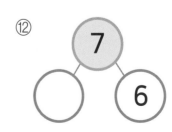

3일 ❶

7까지의 모으기와 가르기

두 수로 갈라 ☐ 에 알맞은 수를 써넣으세요.

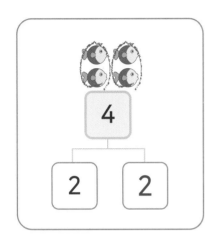

①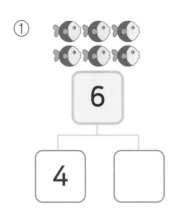

②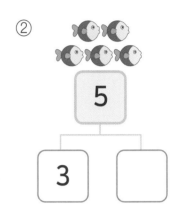

③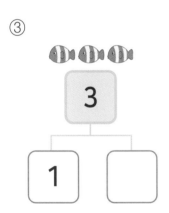

④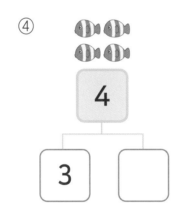

⑤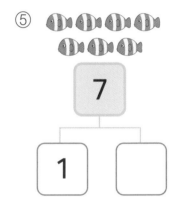

⑥

⑦

⑧

7까지의 모으기와 가르기

🐸 두 수로 갈라 보세요.

①
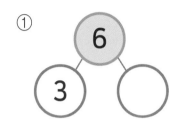

②
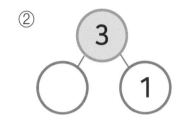

③
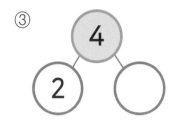

④
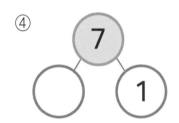

⑤
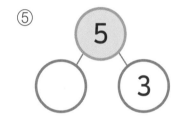

⑥
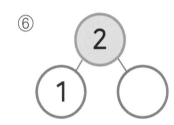

⑦
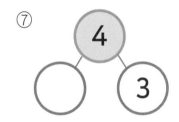

⑧
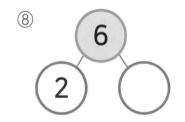

⑨
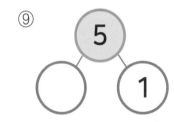

⑩
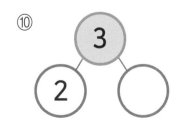

⑪
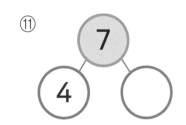

⑫
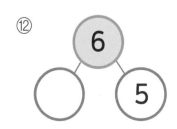

7까지의 모으기와 가르기

🔔 개수만큼 ◯를 그려 넣으세요.

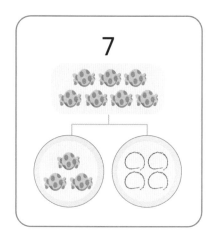

①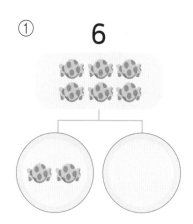

②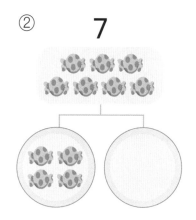

③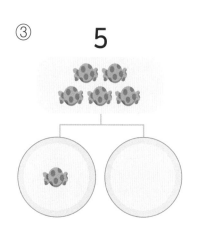

④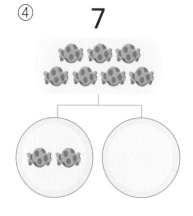

⑤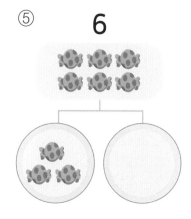

⑥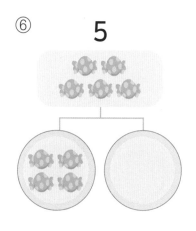

⑦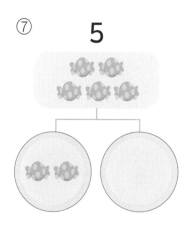

⑧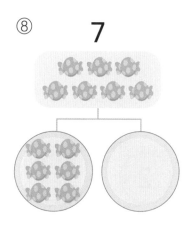

4일 ❷

7까지의 모으기와 가르기

😊 두 수로 갈라 보세요.

①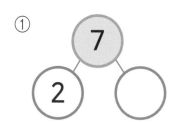

②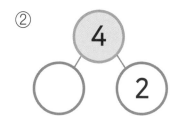

③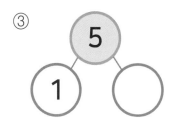

④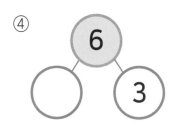

⑤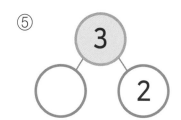

⑥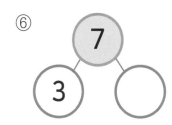

⑦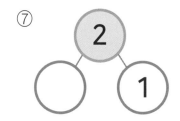

⑧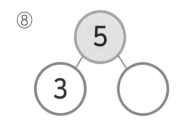

⑨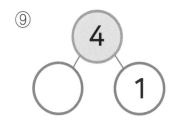

⑩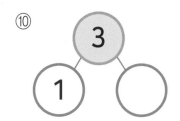

⑪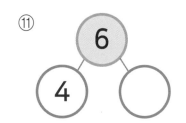

⑫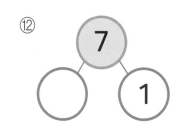

7까지의 모으기와 가르기

개수만큼 ◯를 그려 넣고 ☐에 알맞은 수를 써넣으세요.

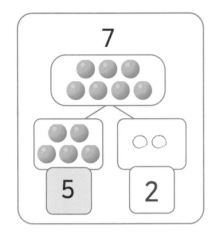

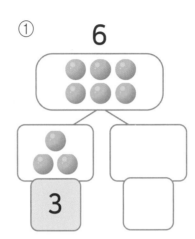

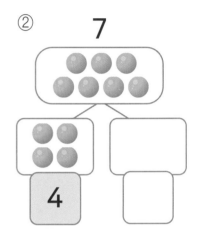

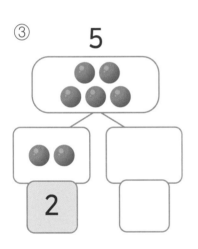

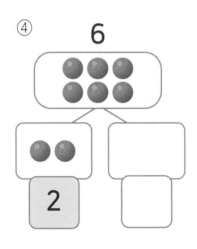

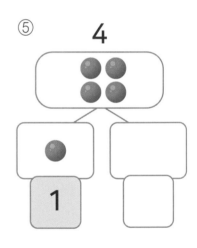

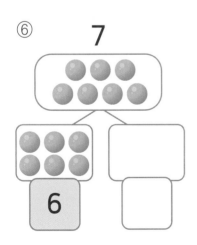

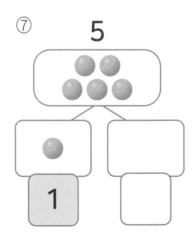

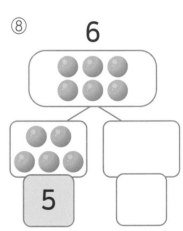

5일❷ 7까지의 모으기와 가르기

두 수로 갈라 보세요.

①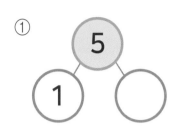

②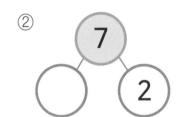

③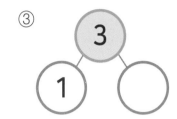

④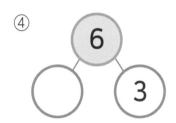

⑤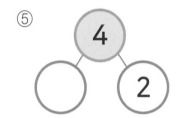

⑥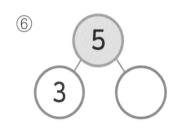

⑦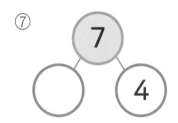

⑧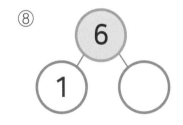

⑨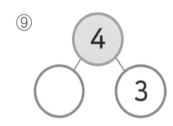

⑩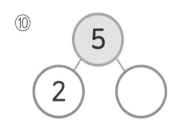

⑪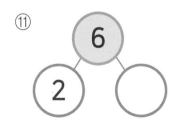

⑫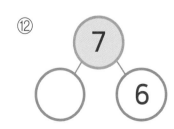

총괄 테스트

1권 7까지의 모으기와 가르기

01 두 수를 모아 □에 알맞은 수를 써넣으세요.

02 양쪽의 모은 수가 같도록 빈 곳에 알맞은 수를 써넣으세요.

03 모아서 7이 되는 것에 모두 ○표 하세요.

05 두 수로 갈라 □에 알맞은 수를 써넣으세요.

06 양쪽의 주사위 눈을 모은 개수가 같도록 빈 곳에 ○을 그려 넣으세요.

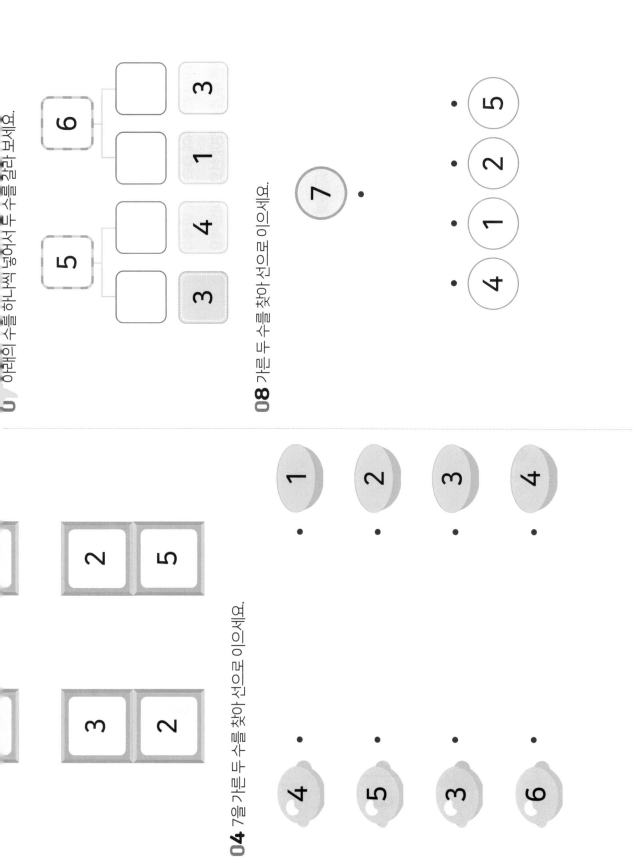

아래의 수를 하나씩 넣어서 두 수를 갈라 보세요.

08 가른 두 수를 찾아 선으로 이으세요.

04 7을 가른 두 수를 찾아 선으로 이으세요.

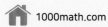 1000math.com

홈페이지

· 천종현수학연구소 소개 및 학습 자료 공유
· 출판 교재, 연구소 굿즈 구입

 cafe.naver.com/maths1000

네이버카페

· 다양한 이벤트 및 '천쌤수학학습단' 진행
· 학습 상담 게시판 운영

 https://www.instagram.com/1000maths

인스타그램

· 수학고민상담소 '천쌤에게 물어보셈' 릴스 보기
· 가장 빠르게 만나는 연구소 소식 및 이벤트

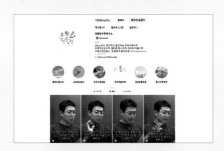

 https://www.youtube.com/@1000math4U

유튜브

· 인스타 라이브방송 '천쌤에게 물어보셈' 다시 보기
· 고민 상담 사례 및 수학교육 기획 콘텐츠

천종현수학연구소는
유아 초등 수학 교재와 콘텐츠를 꾸준히 **개발**하고 있습니다. 네이버에 '**천종현수학연구소**'를 검색하시거나
인스타그램, 유튜브 등 다양한 채널을 통해서도 **연산**과 **사고력 수학**, 교과 심화 학습에 대한 **노하우**와 **정보**를
다양하게 제공합니다. 지금 바로 만나보세요.

SINCE **2014**

천종현수학연구소 출판 교재

01

유아 자신감 수학

썼다 지웠다 붙였다 뗐다
우리 아이의 첫 수학 교재

02

TOP 사고력 수학

실력도 탑! 재미도 탑!
사고력 수학의 으뜸

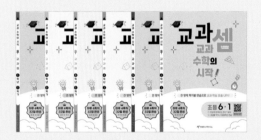

03

교과셈

사칙연산+도형, 측정, 경우의 수까지
반복 학습이 필요한 초등 연산 완성

04

따풀 수학

다양한 개념과 해결 방법을 배우는
배움이 있는 학습지

05

초등 사고력 수학의 원리/전략

진정한 수학 실력은 원리의 이해와 문제 해결 전략에서
재미있게 읽는 17년 초등 사고력 수학의 노하우!!

10쪽

① ○○○○

② ○○○ ③ ○○○○○

④ ○○○○○ ⑤ ○○○○○

⑥ ○○ ⑦ ○○○○

11쪽

① ○○○ , 3

② ○○○○○, 5 ③ ○○○○ , 4

④ ○○○ , 3 ⑤ ○○○○ , 4

⑥ ○○○○ , 4 ⑦ ○○○○○, 5

12쪽

① 3 ② 5

③ 5 ④ 4 ⑤ 4

⑥ 3 ⑦ 5 ⑧ 5

13쪽

① ○○○○○

② ○○○○○ ③ ○○○○○

④ ○○○○○ ⑤ ○○○○○

⑥ ○○○○○ ⑦ ○○○○○

14쪽

① ○○○○○, 6

② ○○○○○, 6 ③ ○○○○○, 7

④ ○○○○○, 7 ⑤ ○○○○○, 6

⑥ ○○○○○, 6 ⑦ ○○○○○, 7

15쪽

① 6 ② 7

③ 7 ④ 7 ⑤ 6

⑥ 7 ⑦ 6 ⑧ 7

16쪽

① 3 ② 7

③ 6 ④ 7 ⑤ 5

⑥ 4 ⑦ 6 ⑧ 7

⑨ 5 ⑩ 6 ⑪ 7

17쪽

① 4 ② 6

③ 3 ④ 7 ⑤ 4

⑥ 5 ⑦ 6 ⑧ 7

18쪽

① 2, 4, 6

② 3, 3, 6 ③ 3, 4, 7

④ 2, 3, 5 ⑤ 3, 2, 5

19쪽

① 4

② 5 ③ 4

④ 7 ⑤ 6

20쪽

21쪽

22쪽

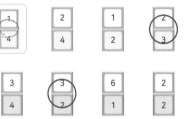

23쪽

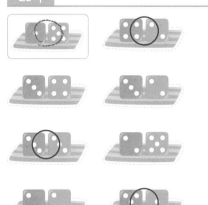

24쪽

4

26쪽

① ○○○○ , 4

② ○○○○ , 4　③ ○○○○○ , 6

④ ○○ , 2　⑤ ○○○ , 3

⑥ ○○○○○ , 7　⑦ ○○○○○ , 5

27쪽

① 3　② 5　③ 3

④ 7　⑤ 6　⑥ 4

⑦ 7　⑧ 4　⑨ 5

⑩ 5　⑪ 6　⑫ 7

28쪽

① 6　② 2

③ 5　④ 7　⑤ 3

⑥ 4　⑦ 3　⑧ 7

29쪽

① 4　② 7　③ 5

④ 3　⑤ 6　⑥ 4

⑦ 6　⑧ 2　⑨ 5

⑩ 4　⑪ 5　⑫ 6

30쪽

① ●●○○○ / ●●○
② ●●○○○ / ●○
③ ●●○○○ / ●●○
④ ○○○○○
⑤ ●○○○○ / ●○
⑥ ●○○○○ / ●○
⑦ ●○○○○ / ●○

31쪽

① 3 ② 7 ③ 4
④ 4 ⑤ 6 ⑥ 4
⑦ 6 ⑧ 6 ⑨ 5
⑩ 5 ⑪ 7 ⑫ 5

32쪽

① 7 ② 7
③ 7 ④ 6 ⑤ 5
⑥ 6 ⑦ 6 ⑧ 5

33쪽

① 6 ② 7 ③ 5
④ 5 ⑤ 4 ⑥ 7
⑦ 7 ⑧ 4 ⑨ 6
⑩ 6 ⑪ 7 ⑫ 5

34쪽

① 7 ② 7
③ 6 ④ 5 ⑤ 7
⑥ 7 ⑦ 7 ⑧ 6

35쪽

① 7 ② 7 ③ 4
④ 6 ⑤ 6 ⑥ 7
⑦ 6 ⑧ 7 ⑨ 6
⑩ 4 ⑪ 5 ⑫ 6

3주차 - 5까지의 가르기

38쪽

① 2, 1
② 1, 3
③ 2, 2
④ 3, 1
⑤ 1, 4
⑥ 2, 3
⑦ 3, 2
⑧ 4, 1

②, ③, ④와 ⑤, ⑥, ⑦, ⑧은 순서가 바뀌어도 됩니다.

39쪽

① ○   ② ○○○
③ ○   ④ ○○○○ ⑤ ○○○
⑥ ○   ⑦ ○○   ⑧ ○○

40쪽

① ○○, 2 ② ●●○, 4
③ ○○, 2 ④ ●○, 3 ⑤ ○, 1
⑥ ○, 1   ⑦ ○, 1   ⑧ ●●○, 3

3 4 ⑤ → 2 3
③ 4 5 → 1 2
3 ④ 5 → 2 2
3 4 ⑤ → 4 1
3 4 ⑤ → 3 2
3 ④ 5 → 3 1

54쪽

① 2, 4

② 3, 3

③ 4, 2

④ 5, 1

⑤ 2, 5

⑥ 3, 4

⑦ 4, 3

⑧ 5, 2

⑨ 6, 1

①, ②, ③, ④와 ⑤, ⑥, ⑦, ⑧, ⑨는 순서가
바뀔 수 있습니다.

55쪽

① ○○

② ○○○

③ ○○○ ○○○

④ ○○○ ○○○

⑤ ○○○ ○○○

⑥ ○○

⑦ ○

⑧ ○○ ○○

56쪽

① ○ ○○, 3

② ○○○ ○○, 5

③ ○ ○○, 3

④ ○ ○○○, 5

⑤ ○○, 2

⑥ ○○ ○○○, 6

⑦ ○○ ○○, 4

⑧ ○○ ○○, 4

57쪽

① 3   ② 6

③ 5   ④ 1   ⑤ 4

⑥ 2   ⑦ 4   ⑧ 1

58쪽

① 1   ② 5

③ 3   ④ 2   ⑤ 5

⑥ 4   ⑦ 4   ⑧ 1

⑨ 3   ⑩ 2   ⑪ 6

59쪽

① 5   ② 4   ③ 1

④ 3   ⑤ 2   ⑥ 4

⑦ 6   ⑧ 1   ⑨ 5

⑩ 3   ⑪ 2   ⑫ 2

60쪽

① 3, 5, 6   ② 4, 2, 5   ③ 5, 3, 1

④ 3, 2, 1   ⑤ 4, 2, 1   ⑥ 2, 1, 3

61쪽

① 4, 3, 1   ② 4, 2, 1

③ 5, 4, 2   ④ 3, 2, 1

⑤ 5, 2, 1   ⑥ 6, 3, 1

⑦ 2, 3, 1   ⑧ 4, 3, 2

62쪽

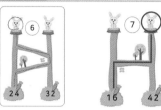

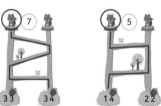

63쪽

① 6, 5   ② 6, 7, 5

③ 4, 6, 7   ④ 6, 7, 7

64쪽

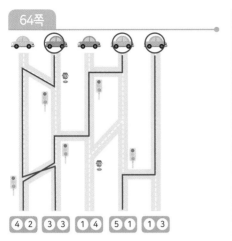

| 4 2 | 3 3 | 1 4 | 5 1 | 1 3 |

65쪽

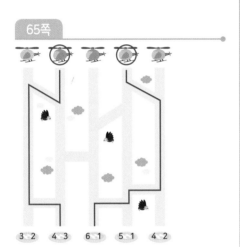

| 3 2 | 4 3 | 6 1 | 5 1 | 4 2 |

66쪽

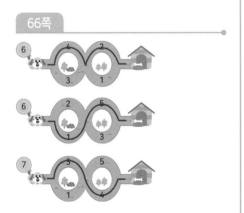

67쪽

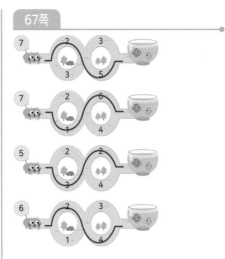

68쪽

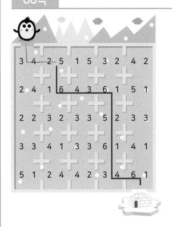

70쪽

① 2　② 4

③ 1　④ 1　⑤ 4

⑥ 2　⑦ 2　⑧ 6

⑨ 3　⑩ 3　⑪ 1

71쪽

① 3　② 2　③ 2

④ 1　⑤ 2　⑥ 3

⑦ 2　⑧ 1　⑨ 5

⑩ 4　⑪ 3　⑫ 5

72쪽

① 3　② 4　③ 6

④ 5　⑤ 6　⑥ 7

⑦ 5　⑧ 2　⑨ 7

⑩ 6　⑪ 5　⑫ 7

73쪽

① 1, 3　② 2, 2　③ 3, 1

④ 1, 4　⑤ 2, 3　⑥ 3, 2

⑦ 4, 1

①, ②, ③과 ④, ⑤, ⑥, ⑦은 순서가 바뀔 수 있습니다.

① 1,5　② 2,4　③ 3,3

④ 4,2　⑤ 5,1

⑥ 1,6　⑦ 2,5　⑧ 3,4

⑨ 4,3　⑩ 5,2　⑪ 6,1

①, ②, ③, ④, ⑤와 ⑥, ⑦, ⑧, ⑨, ⑩ ,⑪은 순서가 바뀔 수 있습니다.

① 3　② 1　③ 3

④ 3　⑤ 4　⑥ 3

⑦ 5　⑧ 5　⑨ 1

⑩ 2　⑪ 1　⑫ 1

　　　① 4,7

② 1,6　③ 2,7

④ 2,3　⑤ 3,7

⑥ 5,7　⑦ 1,7

① 2,2　② 2,4

③ 6,1　④ 1,4

⑤ 4,3　⑥ 2,4

⑦ 1,5　⑧ 3,4

　　　① 5,4　② 6,3

③ 3,5　④ 2,6　⑤ 3,6

⑥ 1,3　⑦ 3,2　⑧ 2,3

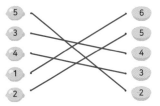

① 3

② 4

③ 2

④ 4

① 1

② 4

③ 3

④ 4

⑤ 3

⑥ 1

86쪽

① ○○○   ② ○○○○
③ ○○   ④ ○○○○   ⑤ ○○○○
⑥ ○   ⑦ ○   ⑧ ○○○○○

87쪽

① 3   ② 4   ③ 4
④ 2   ⑤ 2   ⑥ 3
⑦ 2   ⑧ 1   ⑨ 1
⑩ 4   ⑪ 6   ⑫ 1

88쪽

① 3   ② 2
③ 1   ④ 1   ⑤ 6
⑥ 1   ⑦ 4   ⑧ 4

89쪽

① 5   ② 2   ③ 2
④ 3   ⑤ 1   ⑥ 3
⑦ 1   ⑧ 4   ⑨ 1
⑩ 1   ⑪ 4   ⑫ 1

90쪽

① 2   ② 2
③ 2   ④ 1   ⑤ 6
⑥ 1   ⑦ 3   ⑧ 1

91쪽

① 3   ② 2   ③ 2
④ 6   ⑤ 2   ⑥ 1
⑦ 1   ⑧ 4   ⑨ 4
⑩ 1   ⑪ 3   ⑫ 1

92쪽

① ○○○○   ② ○○○
③ ○○○○   ④ ○○○○○   ⑤ ○○○
⑥ ○   ⑦ ○○○   ⑧ ○

93쪽

① 5   ② 2   ③ 4
④ 3   ⑤ 1   ⑥ 4
⑦ 1   ⑧ 2   ⑨ 3
⑩ 2   ⑪ 2   ⑫ 6

94쪽

① ○○○ 3   ② ○○○ 3
③ ○○○ 3   ④ ○○○○ 4   ⑤ ○○○ 3
⑥ ○ 1   ⑦ ○○○○ 4   ⑧ ○ 1

95쪽

① 4   ② 5   ③ 2
④ 3   ⑤ 2   ⑥ 2
⑦ 3   ⑧ 5   ⑨ 1
⑩ 3   ⑪ 4   ⑫ 1

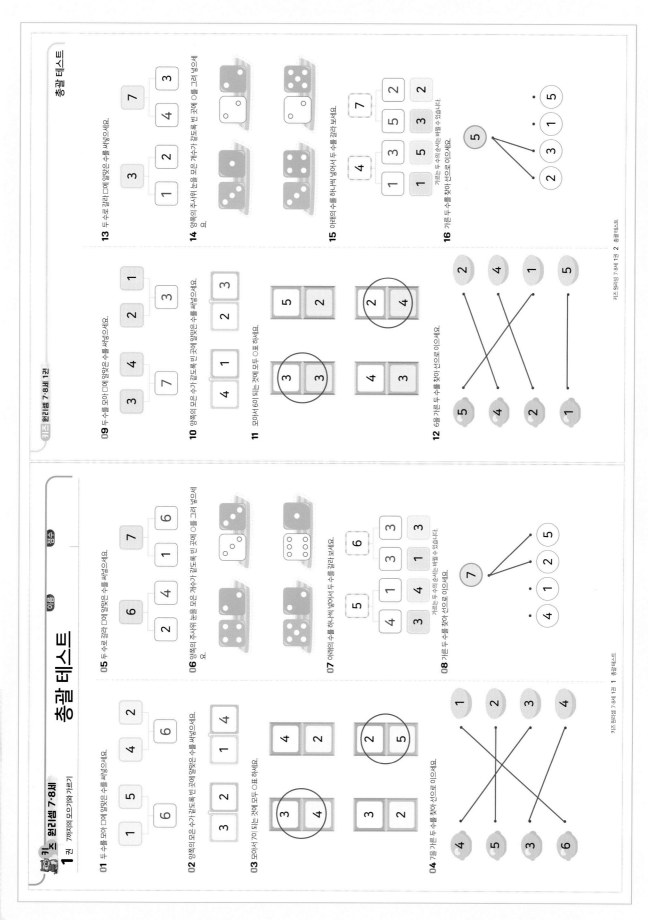

키즈 수학 전문가가 만든 연산 교재

원리셈

세분화된
원리 학습

다양한
유형의 연습

충분한
연습

성취도
확인

○ 마술 같은 논리 수학 **매직**

전 영역에 걸쳐 균형 있는 논리력, 문제해결력 기르기

○ 생각하고 발견하는 수학 **로지카**

최고 수준 학습을 위한 사고력, 문제해결력 기르기

○ 문제해결력 향상을 위한 실전서
문제해결사 PULL UP

학년별 실전 고난도 문제해결을 위한 브릿지 학습

천종현수학연구소의 학원 프로그램, 로지카 아카데미

"수학으로 세상을 다르게 보는 아이로!"
"생각하고 발견하는 수학, **로지카 아카데미**에서 시작하세요."

20년 차 수학교육전문가 천종현 소장과 함께 생각하는 힘을 기를 수 있는 곳, 로지카 아카데미입니다. 생각하고 발견하는 수학을 통해 아이들은 새로운 세상을 만나게 될 것입니다. 오늘부터 아이의 수학 여정을 로지카 아카데미와 함께하세요.

▶ ▷ ▷ ▷ **로지카 아카데미** www.logicaedu.kr

천종현수학연구소의 교재 흐름도

	4세	5세	6세	7세	초 1
출판 교재					
유자수 · 탑사고력	만 3세	만 4세	만 5세	K단계	P단계
원리셈		5, 6세	6, 7세	7, 8세	초등 1
교과셈					초등 1
따풀				7세	초등 1
학원 교재					
매직 · 로지카			K단계	P단계	A단계
풀업				P단계	A단계